_____ 님

세상에서 가장 소중한 당신을
'부자 수업'에 특별히 초대합니다.
부자 습관으로 성공과 행복이
함께 하길 기원합니다.

_____ 드림

아이를 성공과 행복으로 이끄는
부자 수업

아이를 성공과 행복으로 이끄는 **부자 수업**

초판 1쇄 · 2017년 11월 18일

지은이 · 토마스 콜리(Thomas C. Corley)
감 역 · 박인섭 · 이연학
펴낸이 · 박선주
기 획 · 유철진
펴낸곳 · 봄봄스토리
등 록 · 2015년 9월 17일(No. 2015-000297호)
전 화 · 070-7740-2001
팩 스 · 0303-3441-2001
이메일 · bombomstory@daum.net

ISBN 979-11-958053-9-6(03320)
값 12,800원

RICH KIDS

HOW TO RAISE OUR CHILDREN
TO BE HAPPY AND SUCCESSFUL IN LIFE

아이를 성공과 행복으로 이끄는 **부자 수업**

봄봄
스토리

Rich Kids

*RICH
KIDS*

감사말

    먼저 내 홍보담당자 로리 플라케(Lauri Flaquer)에게 감사를 전한다. 로리는 내가 모든 걸 포기하기 직전에 내 인생에 나타나서 기운을 북돋아주고 영감을 불어넣어 주었다. 로리 덕분에 듣도 보도 못한 저술가가 첫 작품을 자비로 출판할 수 있었다. 그리고 그 책이 1년 만에 아마존 1위를 차지하게 되었다. 일개 평범한 회계사를 베스트셀러 작가로 탈바꿈시켜준 것이다. 로리 플라케가 아니었다면 지금 이 감사말을 쓸 수도 없었을 것이다.

    또한 나란 사람과 부자가 되는 습관에 대한 내 연구가 널리 알려질 수 있게 해준 몇몇 언론인들에게도 감사 인사를 전하고 싶다. 수상 경력에 빛나는 야후 파이낸스 '파이낸셜리 피트(Financially Fit)'의 진행자 파누쉬 토라비(Farnoosh Torabi)는 용감하게도 아무도 모르는 나를 처음으로 취재하는 위험을 무릅썼다. 파누쉬 토라비가 나를 인터뷰한 영상은 조회 수 200만을 기록하는 기염을 토했다. 그리고 이것이 데이브 램지의 관심을 끌었다.

데이브 램지(Dave Ramsey)가 진행하는 라디오 프로그램은 미국 전역에서 방송되는 가장 유명한 프로그램 중 하나다. 데이브와의 인터뷰와 야후 인터뷰 덕에 나의 첫 번째 책 『부자 습관(Rich Habits: The Daily Success Habits of Wealthy Individuals)』이 2013년 7월에 아마존 1위를 차지할 수 있었다. 데이브의 지속적인 지지와 언급 덕분에 『부자 습관』이 2013년 전반에 걸쳐 아마존 100위권에 머무를 수 있었다. 2013년 11월 CBS 보스턴(WBZ-TV)의 밥 듀마스(Bob Dumas)가 진행한 인터뷰는 CBS 산하 7개 방송사의 저녁 뉴스로 편성되었다. 이것이 내 생애 최초의 전국적 텔레비전 방송국 인터뷰였고, 이를 계기로 언론계로부터 신뢰를 받을 수 있게 되었다. 게리 데트웨일러(Gerri Detweiler)(Credit.com)의 인터뷰는 MSN 머니에 게재되었다. 인터뷰에 대한 관심이 높아지자 MSN 측은 인터뷰를 전면에 배치했다. 날 믿고 모험을 감행해주셔서 감사하고 앞으로도 건승하시기를 바란다.

스스로를 성공한 작가라 믿을 수 있게 도와준 스타 필모어에게 특히 고맙다는 말을 하고 싶다. 스타의 저서 『Fun with Visualization』과 30일 시각화 훈련 프로그램 덕분에 부정적인 사고방식을 긍정적으로 전환할 수 있었고, 판매부수란 게 아예 없었을 때 이미 스스로를 베스트셀러 작가로 생생히 그려볼 수 있었다. 스타는 내가 비전을 실현할 수 있게 도와주었다.

지칠 줄 모르고 열정적으로 일하는 시어파이스앤컴퍼니(Cerefice and Company)의 모든 직원 여러분에게도 깊이 감사드린다. 이들의 노고 덕에 글을 쓰는 데 시간을 할애할 수 있었다. 동료들이 고객을 지원해주지 않았더라면 절대로 이렇게 보람찬 작가로서의 경력을 쌓을 수 없었을 것이다. 직업윤리, 전문성, 성실성을 두루 겸비한 미나 파텔(Mina Patel)에게 특히 고맙다. 미나는 회사에서 없어서는 안 될 존재다.

　마지막으로 이 책을 선택해주신 모든 독자 여러분께 감사드린다. 독자들이 없었다면 이 책은 삶을 변화시키는 힘을 얻지 못했을 것이다. 내 사명은 독자들이 원래 정해진 삶인 행복하고 성공적인 삶을 살기 위해 습관을 바꾸는 게 얼마나 중요한지 깨닫게 해주는 것이다.

머리말

    인간은 놀라운 존재다. 생각을 현실로 실현할 수 있
는 유일한 존재다. 우리는 모두 꿈을 꾼다. 놀라운 꿈을
꾼다. 그 꿈으로부터 놀라운 것을 창조해 낸다. 그 꿈으
로부터 불가능을 가능으로 만든다. 단언컨대 우리 모두
는 무에서 유를 창조할 수 있는 천부적인 재능을 타고
났다. 상상력과 억눌린 믿음이 스스로를 제약하지 않는
이상, 창조의 능력에 한계란 없다. 인간은 결코 가난하
게 살거나, 재정적인 어려움에 시달리거나, 불행한 삶
을 살도록 예정되어 있지 않다. 우리는 위대한 존재가
되고, 위대한 일을 성취하기 위해 태어났다. 우리의 유

전자는 창조하고, 생산하고, 혁신하고, 실수에서 배우게끔 설계되어 있다. 우리는 본래 풍요롭고, 행복하고, 성공적인 삶을 살게 되어 있다.

그러나 행복과 성공은 저절로 이뤄지지 않는다. 다른 사람의 도움을 필요로 한다. 멘토가 필요하다. 성공한 사람들은 인생의 멘토를 두고 있다는 점에서 다른 사람들과 구별된다. 부모는 아이의 성공과 행복에 결정적인 역할을 한다. 부모가 가르쳐주는 성공 전략은 자녀의 행복하고 성공적인 삶의 기틀이 된다. 부모의 멘토링은 사회 전반적인 발전에 기여한다. 자녀는 어른이 되어서도 어릴 때 배웠던 성공 전략을 사용한다. 그 결과 감정적 측면은 물론, 재정적 측면에서도 만족스러운 경력을 쌓을 수 있게 된다. 나아가 우리 아이들이 자녀를 키울 때 동일한 성공 전략을 전수한다면, 세대를 초월하는 성공의 사이클이 형성될 것이다.

이 책을 통해 자녀의 잠재력을 최대로 끌어낼 수 있다. 이 책은 아이가 삶에서 행복을 찾고 성공을 거둘 수 있도록 안내해 줄 것이다. 이 책에 소개된 성공 전략은 부자들의 생활 습관을 5년 간 연구한 결과를 토대로 한 것이다. 전작『부자습관』에서 성공에 기여하는 열 가지 핵심 습관을 다루었다. 이 책에서는 한 발 더 나아가 부자들이 부모에게 배우는 성공 전략을 소개하고자 한다. 이러한 성공 전략은 매우 특별하다. 어디에서도 들어본 적이 없을 것이다. 부자들이 자녀에게 전수하는 성공 전략을 파고든 연구가 없었기 때문이다. 이러한 측면에서 이 책은 혁명적이라 할 수 있다.

이 책『부자 수업』을 집필한 주요 목적은 부모나 조부모가 자녀나 손주의 성공 멘토가 될 수 있도록 돕기 위해서다. 책에 소개된 전략을 따르기만 하면, 아이를 행복한 부자로 키울 수 있다. 자녀 양육에 있어 이 책은 귀중한 선물이다. 보통 부모나 조부모는 아이가 만날 수 있는 유일한 멘토이다. 이 책을 통해 여러분은 더 나은 양육자이자 성공 멘토로 거듭날 수 있다.

여태까지는 가장 부유하고 가장 큰 성공을 거둔 사회 최상류층만 이런 지식에 접근할 수 있었다. 그러나 이제는 우리도 동일한 지식으로 무장할 수 있다. 이로써 우리는 우리 아이들이 감히 꿈에서나 그려볼 법한 성공을 거두는 모습을 볼 수 있게 될 것이다.

아이를 행복한 부자로 키우고 싶어하는 부모나 조부모뿐만 아니라, 학생 한 명 한 명의 무한한 잠재력을 끌어내고 싶어하는 교사에게도 이 책은 유용하다. 여러분은 이 책을 통해 깨달음을 얻고서, 평범한 부모나 조부모 또는 교사에서 다음 세대를 위한 특별한 멘토로 거듭날 수 있을 것이다.

01

노트

아들 브렌던과 처음으로 함께 여행을 떠났다. 전설이
새로 쓰이고 기적이 일어나는 성소 중의 성소 인디애나
주 사우스벤드로 가던 길이었다. 2014 시즌 초 노트르
담 팀과 미시간 팀의 풋볼 경기를 보기 위해서였다. 사
우스벤드로 향하는 여정은 긴 순례였다. 차편으로 12시
간 거리였다. 그럼에도 불구하고 우리는 함께 현장에서
노트르담의 경기를 볼 생각에 매우 들떠 있었다.

브렌던은 스포츠라면 사족을 못 쓴다. 종목을 불문하
고 스포츠라면 무조건 다 좋아한다. 주로 테니스, 농구,
야구를 즐기고 시간이 허락하면 틈틈이 교내 미식축구

와 축구 경기에서도 뛴다. 노트르담이라면 죽고 못사는데 이건 내 영향이 크다. 미식축구 시즌에 우리 집에서는 노트르담 얘기가 끊이지 않는다. 브렌던이 5학년인가 6학년일 때 내 인생 최고의 영화인 〈루디이야기〉를 보여주기도 했다. 〈루디이야기〉는 노트르담 대학교에 가서 미식축구 선수가 되기를 꿈꾸는 고등학생을 그린 영화이다. 꿈을 이루기 위해 끝까지 포기하지 않고 온갖 역경을 극복하는 약자에 관한 전형적인 이야기이다.

어디 그뿐인가. 노트르담 대학교에서 2년 동안 농구 선수로 뛰다가 코치를 따라 조지타운으로 옮겼다는 우리 삼촌 얘기가 빠지면 섭섭하다. 우리 가족은 툭하면 노트르담 이야기를 꺼냈고, 이것이 브렌던에게까지 전염되었다. 노트르담 대학교는 브렌던의 유일한 선택지였다. 매일같이 노트르담 대학교에 갈 것이란 이야기를 해댔다. 딱 한 가지 문제가 있다면 그건 바로 브렌던의 성적이었다. 대부분의 다른 아이들처럼 브렌던 역시 학교 성적이 그다지 뛰어나지 않았다. 대체로 B학점에 만족했고, 어쩌다 컨디션이 좋으면 A학점을 받아오는 정도였다. 선생님들이야 당연히 아이가 머리는 좋다고 하셨다. 한 분은 브렌던에게 IQ 테스트를 권하기까지 하셨다. 그 분 말씀처럼 브렌던의 IQ는 평균보다 높았다. 우리가 브렌던에게 이 사실을 알려주자 그 아이는 그저 어깨를 으쓱이고 말았다. 오로지 최상위권 학생들만 노트르담 대학교에 입학할 수 있다고 말해도 그저 으쓱하고 말 뿐이었다. 사실 이번 여행은 아이의 학업적 열정을 고취시키기 위한 것이기도 했다. 아이가 이제 막 고등학교에 진학한 참이니, 노트르담 대학교의 캠퍼스, 미식축구 경기장, 골든 돔, 터치다운 지저스를 보고 나면 학업 의욕이 솟을지도 모를 일이다.

운전대를 잡은 지 얼마 지나지 않아 아이가 휴대폰에서 눈을 떼고 고개를 드는 기적적인 일이 벌어졌다. 내게는 열두 살 때부터 곁에서 떼놓지 않고 늘 지니고 다니는 노트가 있는데, 브렌던이 그 노트에 대해 물어보았다.

"아빠 아침운동 가셨을 때 몰래 노트를 봤어요."

브렌던의 고백에 움찔했다. 사적인 부분을 침해당해 화가 났다기보다는 열네 살짜리가 다 낡아빠진 노트 한 권이 궁금해서 휴대폰에 대한 무시무시한 집착을 내려

놓을 수 있다는 데 충격을 받은 것이다.

"왜 그랬니?"

아이는 마치 멀리 있는 무언가를 찾기라도 하듯 고개를 돌려 차창 밖을 바라보았다.

"노트에 대해 한 번도 말씀하신 적은 없지만 중요하게 여긴다는 게 뻔히 보였으니까요. 항상 들고 다니시잖아요. 우리끼리 맨날 얘기하는 걸요."

"우리라니 누가?"

"엄마, 커스틴, 케이시 모두요. 저희가 항상 엄마한테 여쭤 봐요. 엄마는 본인도 읽어본 적은 없지만 증조할아버지와 관련된 것 같다고 하셨어요. 아빠한테 직접 여쭤보라고요. 그런데 저는 그 노트의 내용이 궁금해서 참을 수가 없었어요. 그래서 아빠가 아침운동 나가신 사이에 가방을 뒤져서 꺼내 읽었죠."

나는 콧등 위로 안경을 밀어 올리며 생각을 가다듬었다.

"그래서?"

"그래서라뇨?"

"뭘 알아냈니? 뭔가, 깨달은 게, 있니?"

마지막 질문을 할 때는 의도적으로 천천히 단어 하나

하나를 발음했다.

"뭔가 굉장히 특별하고, 흥미롭고, 저희한테 숨길만한 엄청난 비밀이 숨어있는 줄 알았는데 매일 하시는 말씀밖에 없더라고요. 그 부자 되는 습관 이야기요. 그게 다는 아닐 거라고 생각했거든요."

"그래, 실은 그게 다가 아니란다. 그 노트에는 겉으로 보이는 것보다 훨씬 많은 게 담겨 있지. 노트에 얽힌 이야기가 있단다. 네 증조할아버지께서는 1984년 여름, 불과 열두 살 소년에 불과했던 내게 부자 되는 습관을 가르쳐 주셨다. 그 여름이 내 인생을 바꾸어 놓았지. 그 여름이 있었기에 우리 가족이 뉴욕 시의 전경이 내다보이는 강변 집에 살 수 있는 거고, 너희 모두가 사립학교에 다닐 수 있는 거고, 우리가 하와이와 디즈니에 두 번씩이나 다녀올 수 있는 거고, 이렇게 노트르담으로 여행도 갈 수 있는 거란다. 그 여름에 배운 부자 되는 습관 덕에 우리가 지금처럼 살 수 있는 거지."

아이들의 증조부인 J.C. 잡스는 우리 가족들 사이에서 전설적인 인물이다. 우리 가족에게 있어 그는 영웅이나 다름없다. 바깥세상에서 J.C. 잡스는 역사상 가장 유명한 저술가 중 한 명으로 회자된다. 그는 100여 권의 저서를 집필했는데 대부분 자기계발과 성공에 관한 책이었다. 각기 50만 부씩은 거뜬히 팔렸다. 그는 세계적으로 유명한 인물이 되었으며, 당대 최고의 자기계발 분야 권위자로 자리매김했다. 그는 저술과 강의를 통해 수천만이 큰 성공을 거두고 부를 거머쥘 수 있도록 도왔다. 세계의 빈곤을 줄이는 데 기여했고, 동시대의 백만장자들을 고무시켰다. 대학은 그의 이름을 딴 건물을 지었다. 그가 설립한 '부자 습관 재단'(Rich Habit Foundation)은 오늘날까지도 30여 개 국가에서 학생들과 가난한 사람들에게 부자 되는 습관을 가르치고 있다. 우리 가족은 그를 신처럼 숭배한다.

"네 말처럼 그 노트는 네 증조할아버지가 평생 연구했던 내용을 집약한 것이란다. 하지만 내게 그 노트는 생애 가장 놀라웠던 여름을 상징하는 것이지. 그 여름에 대해 듣고 싶니? 얘기하자면 좀 긴데."

"그럼 열 두 시간 동안이나 차 안에서 도대체 뭘 하시려고요?"

"열 두 시간? 그렇게나 오래 휴대폰에서 눈을 뗄 수

있단 말이야?"

"휴대폰이 뭐죠?"

내 능청에 아이도 능청으로 화답하며 휴대폰의 전원을 껐다.

"얘기해 주마. 오래전 일인데도, 어제 일처럼 생생하구나…"

02

저지 쇼어에서 보낸
여름방학

할아버지는 저지 쇼어의 매너스란비치에서 한 블록 떨어진 빅토리아식 대저택에 혼자 사셨다. 아버지가 말씀하시길 할머니는 아버지가 매우 어릴 때 돌아가셨는데 할아버지 홀로 아버지를 키우셨다고 한다. 할아버지는 재혼하지 않으셨다. 아버지 표현에 따르면 할아버지가 할머니를 지극히 사랑했기에 다른 누구도 사랑할 수 없었던 것이란다. 할아버지는 회계사였는데 『부자 습관』이란 저서가 전 세계적인 베스트셀러가 되는 바람에 하룻밤 사이에 누구나 할아버지의 이름을 알게 되었다. 얼마 후 저지 쇼어로 이사를 해서 아버지와 고모 두

분은 그 곳에서 유년 시절을 보냈다. 할아버지는 수년 간 집을 개조해서 발코니에 둘러싸인 침실 여섯 개짜리 빅토리아식 대저택을 완성했다. 방 세 개에는 이층 침대가 있었다. 각 이층 침대에는 아이 세 명이 잘 수 있었다. 방 하나 당 사촌 여섯이 모여 잘 정도로 친척들이 자주 드나들었다. 우리 가족도 할아버지 댁에 자주 갔었다. 부활절, 추수감사절, 크리스마스, 여름 휴가철마다 두 여동생과 나와 사촌들이 할아버지 댁에서 어울려 놀았다. 저지 쇼어 저택은 우리 모두의 집이나 다름없었다. 늘 가족들로 북적이는 집. 그게 바로 할아버지가 바라던 바였다.

여름이면 주말마다 바비큐, 골프, 파티로 풍성했다. 천국이나 다름없었다. 할아버지는 뒷마당에 헛간 크기의 아이리시 펍을 지었다. 할아버지는 생각할 수 있는 모든 종류의 맥주로 바를 가득 채웠다. 할아버지가 맥주를 사랑하는 건 분명했지만 취하신 모습은 단 한 번도 본 적이 없다. '모든 건 적당히'라는 게 할아버지의 지론이었다. 펍의 1층에는 기다란 바가 있었고, 그 옆쪽으로는 제대로 된 스키볼 테이블이 있었다. 바의 한켠

에는 온갖 오락실 게임기가 있었다. 내가 가장 좋아하
는 게임은 팩맨과 아스테로이드였다. 다른 한켠에는 다
른 데서는 한 번도 본 적 없는 크기의 대형 소파로 둘러
싸인 벽난로가 있었다. 오로지 다트에만 할애된 공간도
있었다. 지하실에는 한쪽 벽면부터 반대쪽 벽면까지 차
지하는 주문 제작한 시가 저장실이 있었다. 할아버지는
시가도 사랑했다. 펍의 위층은 작업실이었다. 할아버지
는 혼자 계실 때면 작업실에 살다시피 했다. 항상 다음
책을 준비하거나, 강의나 훈련 프로그램을 준비했다.
끊임없이 부자 습관을 설파하고 다녔다. 가족들이 할아
버지에게 일이 너무 많은 것 같다는 말을 하면 "열정이
란 놈 앞에 시간이란 건 의미가 없지."라고 하셨다. 부
자 되는 습관은 할아버지의 모든 것이었다.

막 학교에서 집으로 돌아온 참이었다. 1984년 7학년
끝 무렵이었다. 여름방학을 앞두고 있었다. 옷을 갈아입
고 책상 앞에 앉았는데 어머니가 방으로 들어왔다. 아버
지와 상의한 결과 내가 여름방학 내내 저지 쇼어 저택에
서 할아버지와 함께 지내는 게 좋겠다는 결론을 내렸다
고 했다. 너무 놀라 하마터면 의자에서 굴러 떨어질 뻔

했다. 친구들도 만나야 하고 절대로 여름방학 내내 할아버지 댁에서 지낼 수는 없다고 항변했다. 할아버지를 사랑했지만, 지긋한 예순 여덟의 할아버지일 뿐이었다. 여름방학을 할아버지와 보내고 싶지는 않았다. 감정에 북받쳐서 눈물이 솟았다. 그런데도 어머니는 꿈쩍도 안 했다. 아버지가 집에 막 들어섰을 때, 문자 그대로 아버지에게 몸을 던졌다. 제발 집에 있게 해달라고 애원했다. 다시 입씨름이 시작되었고 더 많은 고성과 눈물이 오갔다. 아버지는 어머니와 한 통속이었다. 여름방학을 할아버지와 보내는 것으로 이미 결정난 것이었다. 나는 쿵쿵거리며 방으로 올라가서, 온 힘을 다해 문을 쾅 닫았다. 그리고 무너지듯 침대에 엎드려, 베개에 얼굴을 묻었다. 얼마 지나지 않아 아버지가 방으로 들어와 침대에 걸터앉았다. 내 등을 쓰다듬으며, 고심 끝에 결정한 일이라고 말하셨다. 뜻하는 바가 있어 이런 결정을 내렸다고 했다.

조금이라도 위안이 될까 싶었는지 아버지는, "네 할아버지가 가끔 친구를 초대하는 정도는 허락하셨다."고 말했다. 아버지가 방에서 나간 뒤에도 베개에 묻은 고개를 듣지 않았다. 도대체 내가 뭘 잘못했지? 왜 이런 벌을 받아야 하지? 가출이라도 하고 싶었다. 그날 밤 실제로 가출을 하려고 마음을 먹기도 했다.

저지 쇼어 저택에 도착한 날 할아버지는 노트 한 권과 연필 한 자루를 주셨다.

"이게 뭐예요?"

"앞으로 필요할 게다. 매일 같이 쓰게 될 거고."

도대체 할아버지가 무슨 꿍꿍인지, 그 노트가 인생을 어떻게 바꿔놓을지, 당시로서는 전혀 알 수 없었다.

03

부를 쌓는
세 가지 방법

첫째 날 아침 할아버지가 깨울 무렵에 나는 여전히 깊이 잠들어 있었다. 학교에 갈 때 일어나던 시간보다 훨씬 일렀다.

"어서 일어나! 본 떼를 보여줘야지!"

숫제 고함치는 소리였다. 눈을 비비고, 침대 끝에 서 있는 할아버지를 보았다. 운동복 차림의 할아버지는 당장 밖으로 나설 태세였다. 할아버지가 신은 현란한 형광 노란색의 스니커즈가 반쯤 감긴 눈을 아프게 찔러왔다. 시선을 돌리는 게 내가 할 수 있는 최선이었다.

할아버지는 키가 195cm에 육박했지만, 날씬하고 근

육질이었다. 나이에 비해 훨씬 젊어보였고, 항상 바쁘게 움직였기 때문에 할아버지를 보고 한 번도 늙었다는 생각을 해 본 적이 없었다. 보통의 다른 할아버지들과는 달랐다. 어머니는 나와 여동생들에게 할아버지는 매일 운동을 하고 먹는 걸 유의하신다고 말하곤 했다. 할아버지는 군인처럼 머리를 바짝 깎고 다녔다. 그래서 해병대 출신인 줄 알았는데, 어머니는 할아버지가 그냥 그런 머리를 좋아하시는 거라고 했다.

침대에서 슬금슬금 나와 기지개를 켰다. 눈을 비비면서 '지옥 같은 여름방학의 시작이구나' 생각했다.

"이 닦고 15분 내로 내려와라. 보드워크로 산책 갈 거다."

할아버지는 손주들에게만 하는 특유의 인사를 하며 나가셨다. 오른손을 턱 근처에 대고 총 모양을 만들어서, 방금 권총을 쏜 것처럼 철컥하는 소리를 내는 동작이다. 그게 재미없던 적이 없었는데, 그 날 아침 다섯 시에는 정말 별로였다. 앞으로 그 인사를 싫어하게 될 것만 같은 기분이었다.

부엌에 발을 들여 놓기 무섭게 할아버지가 노트를 가

져오라고 했다. 나는 총알처럼 뛰어 올라가서, 서랍장에서 노트를 낚아채서, 부엌으로 다시 뛰어 내려갔다.

"부를 쌓는 세 가지 방법"

식탁 건너로 멍하니 할아버지를 바라보았다.

"첫 번째 장 위쪽에 '부를 쌓는 세 가지 방법'이라고 적어라."

노트 스프링에 끼워놓았던 연필을 꺼내 할아버지가 시킨 대로 "부를 쌓는 세 가지 방법"을 첫 장 맨 위에 적었다.

"노트는 식탁 위에 놔 두어라. 이따 다시 쓸 테니."

우리는 산책을 나섰다. 저택에서 해변까지 불과 한 블록이라 보드워크에 금방 도착했다. 할아버지가 내 어깨를 잡았다.

"앞으로 이렇게 할 거다. 같이 걸으면서, 내가 말을 할 테니, 너는 들어라. 산책을 마치면 집으로 돌아가서, 아침을 준비하마. 내가 아침을 준비하는 동안 너는 내가 말하는 걸 들으면서 노트에 적거라. 아침을 먹으면서 네가 제대로 알아들었는지 확인하는 차원에서 다시 한 번 반복해서 말을 해 주마."

부모님께 너무 화가 났다. 이 따위 여름방학이 어디 있냐는 생각만 들었다. 부모님이 벌을 주는 게 분명한데 무엇 때문인지 모르겠다. 이게 다 무슨 소용이랴. 어차피 여름 내내 저지 쇼어에서 무조건 할아버지와 함께 있어야 될 판인데.

할아버지와 함께 걷기 시작했다. 할아버지가 이야기를 시작했다.

"부를 쌓는 방법으로는 세 가지가 있다. 첫째, 버는 것보다 적게 써라. 둘째, 더 많이 벌어라. 셋째, 더 많이 벌고, 더 적게 써라."

버는 것보다 적게 쓰기

"난 이걸 80:20 법칙이라고 부른다. 정말 쉬운 규칙인데, 부자가 되는 습관이다. 월급의 20%는 따로 떼어 놓고 나머지 80%로 사는 거다. 얼마를 벌든 이렇게 해야 한다. 임금이 인상되거나 보너스를 받더라도, 받은 돈의 20%는 무조건 따로 떼어 놔라. 80:20 법칙을 따르면, 돈을 모을 수 있고, 은퇴 연령이 되기 훨씬 전에 부자가 될 수 있을 것이다. 그때가 되면 너는 주변 사람들 중에 가장 부유한 축에 들게 될게다. 딱하게도 대부분의 부모들이 자식에게 절약의 중요성을 가르치지 않는 탓에 아무도 돈을 모으지 않지. 80%를 어떻게 써야 되는지에 관해서는 몇 가지 조언해 줄 사항이 있다. 나중에 어른이 되면 쓸모가 있을 게다."

- 매월 집세로 나가는 돈이 월급의 25%를 넘지 않도록 하라. 자가 소유든 임차든 무조건 25% 규칙을 지켜라.
- 영화, 외식, 술값 등 매월 여가비가 월급의 10%를 넘지 않도록 하라.
- 매월 자동차 할부금이 월급의 5%를 넘지 않도록 하라. 절대로 리스하지 마라. 리스는 빈자의 습관이다. 차량을 구매하되 소중하게 관리해라.
- 신용카드 빚을 피하라. 신용카드 빚을 지고 있다면, 버는 것보다 많이 쓰고 있다는 뜻이므로, 절약할 방법을 찾아라.
- 언제나 신중하게 투자하라. 절대로 일확천금에 도박을 걸지 마라. 세상에 일확천금이란 존재하지 않는다. 복리가 종자돈을 불려줄 것이고, 너를 부자로 만들어 줄 것이다.
- 가능하다면 회사 연금은 상한선까지 부어라.
- 매달 지출을 파악하라. 월별 예산을 세우고, 지출을 추적하라.

할아버지는 생각을 정리하려는 듯 잠시 말을 멈췄다. 메모도, 책도, 녹음기도, 인덱스카드도 없이 기억력에 의존하여 머릿속에서 떠올린 것을 청산유수로 얘기하는 게 놀라웠다. 일분 정도 흘렀을까. 할아버지가 다시 말을 이었다.

"부유한 사람들이 돈을 어마어마하게 많이 벌었기 때문에 부자가 된 거라고 생각하면 오산이다. 물론 그런 경우도 있지만, 대부분은 돈을 지독하게 아껴서 부자가 된 것이다. 부자들은 대체로 무리가 될 정도로 돈을 모으는 습관을 가지고 있다. 저축을 통해 부를 축적하는 데 집중한다. 저축과 투자는 서로 다르다. 저축으로는 결코 돈을 잃지 않는다. 반면 투자를 할 때는 돈을 잃을 수도 있는 리스크를 감수해야 하지. 얼마만큼을 저축하고, 얼마만큼을 투자할지는 위험을 얼마나 감내할 수 있는가에 달려 있다. 안정추구형 부자는 단 한 푼도 위험에 노출하지 않는다. 중도성향의 부자는 25~50% 정도의 저축액을 투자하지. 공격적인 부자는 저축액의 50% 이상을 투자한다. 부자들이 저축에서 일부를 떼어 투자한다면 보통 다음과 같은 곳에 투자한다."

- 사업
- 연금
- 생명 보험과 같은 순수보장형 상품
- 주식과 채권
- 부동산 투자
- 금
- 자녀 교육

"부를 축적하는 것은 야구장에서 홈런을 치는 것과는 거리가 멀다. 오히려 계속 1루타를 치는 것에 가깝지. 계속 1루타를 치다보면 경기에서 이길 수 있다."

더 많이 벌기

"이 길을 가려면, 일정 부분 위험을 감수해야 한다. 저축액의 일부를 투자해야 할 수도 있다. 여기에서 말하는 위험이라 하면 보통 시간과 돈을 모두 가리킨다. 하지만 반드시 커다란 재정적 위험을 감수해야 소득을 높일 수 있는 것은 아니란다. 아르바이트를 하거나, 다단계 판매를 하거나, 무언가를 만들어서 벼룩시장에 내다 팔거나,

돈을 버는 데 도움이 될 만한 기술을 익히는 방법으로도 수입을 늘릴 수 있다. 여기에는 시간이 든다. 하지만 바로 이것, 생산적으로 시간을 활용하고 자기 자신에게 투자를 한다는 것이 핵심이다. 너는 어리다. 나중에 돈을 버는 데 활용할 수 있는 여러 기술을 배우기에 가장 적합할 때지. 어릴 때 시간은 무조건 네 편이다. 아직 어릴 때 최대한 많은 능력을 키워라. 나이가 들어서 더 많은 돈을 벌어야 할 때 분명히 도움이 될 게다. 가장 절실할 때 기댈 게 하나는 있어야지."

더 많이 벌고, 더 적게 쓰기

"80:20 규칙과 수입을 늘리는 전략을 동시에 적용하면, 더 빨리 부자가 될 수 있다. 더 많이 벌고, 더 적게 쓰기는 재정적 염려 없이 노후를 맞이할 만큼 성공적으로 부를 축적한 사람들이 사용하는 강력한 전략이다."

산책이 끝날 무렵, 벤치를 발견했다. 우리는 앉아서 모래에 부서지는 파도를 바라보았다. 할아버지는 파도를 응시하다가 다시 나에게 시선을 주었다.

"애야, 넌 지금 네가 여기서 왜 이러고 있는지, 도대체 네가 뭘 잘못했는지 생각하고 있겠지? 한 가지 분명히 해두자. 나는 널 사랑한단다. 네 부모님도 널 사랑하고. 나는 이걸로 먹고 산다. 내 연설을 듣기 위해 사람들은 수백만 달러를 지불한다. 설마 그 많은 돈을 내 얼굴 한 번 보려고 지불하겠느냐. 나는 그게 누가되었던 누구나 부자가 될 수 있도록 하는 방법을 알고 있다. 찢어지게 가난하든, 편부모 슬하에서 자랐든, 고아이든, 실업자이든 상관이 없다. 감옥에서 막 출소했건, 신체적으로 장애가 있건, 그런 건 하나도 중요하지 않지."

할아버지는 다시 바다를 바라봤다.

"이번 여름에 내게 배우는 것들이 네 인생을 바꿔놓을 게다. 그리고 인생이란 경쟁에서 한참 앞서 나가게 해 줄 것이다. 내가 이번 여름에 너에게 가르칠 내용을 자녀에게 가르치는 부모는 거의 없다. 앞으로 20년을 학교에 다닌다 하더라도, 살면서 반드시 배워야 할 가장 중요한 내용, 즉, 부자가 되는 방법과 행복해지는 방법을 가르쳐주지는 않을 것이다. 훗날 너는 내게 고마워하게 될 게다."

하지만 나는 돈에 별로 관심이 없었다. 열두 살짜리가

뭘 알겠는가. 내가 관심이 있는 건 테니스를 치고, 농구를 하고, 야구를 하거나, 그런 경기를 보는 것이었다. 할아버지와 첫 번째 산책을 하고 난 뒤 부모님에 대해 무척 화가 났다. 이런 최악의 여름방학을 보내는 불행한 아이는 세상에 나밖에 없을 것이다.

할아버지는 말씀하신 대로 했다. 아침을 차리면서 할아버지가 이야기를 하면, 나는 받아 적었다. 할아버지는 부를 쌓는 세 가지 방법에 대해 산책하며 했던 얘기를 토씨하나 안 틀리고 반복해서 말했다. 마치 녹음한 걸 다시 듣는 기분이었다. 신기했다.

아침식사를 마치자 할아버지는 의자를 당겨 내 옆에 자리 잡고 제대로 잘 적었는지 점검했다. 잘못된 내용이 보이면, 지우고 다시 쓰게 했다. 그래서 연필을 준 것이었다. 도무지 빈틈이라고는 없는 분이었다. 우리는 할아버지 눈에 흡족할 때까지 오랜 시간을 들여 내용을 수정했다.

그 여름 내내 이런 식으로 아침 수업이 진행됐다. 끊임없이 배우고, 쓰고, 고쳤다. 이 모든 일은 보통사람들이 하루를 시작하기도 전에 이뤄졌다.

"피곤하냐?"

"조금이요."

"알았다. 나는 작업실에 가 있을 테니, 잠깐 눈 좀 붙여라. 몇 시간 있다 다시 시작하자꾸나."

속으로 망했다고 생각했다. 또 뭘 한단 말인가? 지금보다 더 나빠질 수 있단 말인가!

몇 시간의 꿀맛 같은 휴식이 끝나고, 할아버지가 다시 한 번 나를 깨웠다.

"네 엄마가 테니스 용품 싸 주던?"

"네."

잠이 덜 깨서 심통이 난 채로 불퉁하게 대답했다.

"잘 됐구나. 테니스 치러 가자."

할아버지와 테니스를 치고 싶은 마음은 한 톨도 없었다. 할아버지 몸이 얼마나 좋든 결국 예순여덟의 할아버지 아닌가. 반면 나는 내 또래 중에 가장 실력이 좋은 축에 속했다. 예순여덟 먹은 할아버지가 내 공을 받아 치려고 애쓰는 모습을 보고 싶지는 않았다. 하지만 이걸 반격의 기회로 삼고 싶었다. 여름방학을 이렇게 보내게 만든 데 대한 대가를 치르게 하고 말리라. 이번에

실컷 당하고 나면 다시는 테니스 치자는 얘기는 꺼내지도 못하겠지.

테니스 코트에 도착하자 할아버지는 자동차 트렁크를 열었다. 안에는 온갖 스포츠 용구가 가득했다. 야구공, 배트, 농구공, 테니스 장비까지. 할아버지는 테니스공이 가득 들어있는 노란색 바구니와 테니스 라켓이 가득 들어있는 커다란 가방을 꺼냈다. TV에서 프로 테니스 선수들이 코트로 들어갈 때 들고 있는 건 봤어도 실제로 그런 커다란 운동 가방을 본 건 난생 처음이었다.

할아버지는 일단 스트레칭을 하고, 가볍게 사이드 스텝을 밟게 했다. 그러고 나서 할아버지 쪽 코트 한가운데 공이 가득 들어있는 노란색 바구니를 가져다 놓더니, 일단 훈련부터 하자고 했다. 그 후 한 시간을 백핸드, 포핸드, 발리, 오버헤드, 서브 훈련을 받아야 했다.

훈련을 마치고 나서야 한 세트 겨뤄보자고 했다. 드디어 때가 왔다. 본 떼를 보여줄 테다.

결과는 참담한 완패였다. 한 게임도 가져오지 못했다. 심지어 서브를 받아칠 수조차 없었다. 공이 너무나 빨랐고, 심한 스핀이 걸려 있었다. 두 번째 서브에는 톱스

핀이 너무 많이 걸려 있어서 내 키를 한참 넘어 튀어 올랐다. 나는 20분 만에 6대 0으로 완패했다. 난 충격에서 헤어 나올 수가 없었다.

"여름이 끝날 무렵에는 내 서브를 받아치는 건 물론이고 네가 이기게 될게다."

테니스 용구를 챙겨서 코트를 떠나면서 하신 말씀이었다. 난 그저 참담할 뿐이었는데, 할아버지는 내 기분을 알아챘음이 분명하다.

"얘야, 나는 아홉 살 때부터 테니스를 쳤다. 테니스는 내 인생에서 도저히 빼놓을 수 없는 것들 중 하나지. 17살 때 나는 북동부에서 18세 이하 선수 중 열 손가락 안에 꼽혔다. 고등학교와 대학교에서 학생을 가르치기도 했지. 그러니 그렇게 의기소침해하지 말아라. 스포츠는 우리 가족 유전자에 새겨져 있다. 네 증조부는 세인트루이스 카디널스에 선발됐었다. 뿐이냐, 네 종조부는 농구로 조지타운 대학교 명예의 전당에 이름을 올렸고, 9년 동안 프로 생활을 했다. 네게도 성공의 유전자가 탑재되어 있다. 사실 성공은 모두의 유전자에 새겨져 있다. 즉, 모든 인간에게 성공의 유전자가 내장되어 있단다. 모두가 가지고 있는 이 유전자를 나는 천재 유전자라고 부르지. 우리가 해야 할 일은 그저 이 유전자를 활성화하는 것뿐이란다. 여기에 대해서는 내일 얘기하자꾸나."

할아버지는 차 트렁크를 열고 테니스 용구를 넣은 후 문을 닫았다. 그러더니 나를 보며 씩 웃으셨다.

"농구 할 마음 있냐?"

난 2시가 되어서야 집으로 돌아올 수 있었다. 할아버지와 4시간 동안이나 테니스를 치고, 농구를 하고, 야구까지 한 것이다. 피곤해 죽을 지경이었다. 할아버지는 도대체 어디에서 그런 힘이 다 나는 걸까? 자유투를 200번쯤 던졌고, 투구를 100번쯤 했고, 배트로 공을 수백 번쯤 쳤다. 그 상대를 다 누가 해줬겠는가. 이건 흡사 전지훈련 같았다.

할아버지는 마당에 피크닉 테이블을 차리고, 그릴에 햄버거를 구웠다.

"그래서 나를 이겨먹을 수 있을 것 같으냐?"

나는 허겁지겁 햄버거를 먹어치우느라 바빴다.

"그렇게 나쁘지만은 않을게다."

뭐라 대답하기도 전에 말씀하셨다.

"앞으로 계획은 이렇다. 한 주는 공부하고, 한 주는 쉬는 거다. 쉬는 주간에는 친구들을 불러서 자고 가게 해도 좋다. 열 명이든, 스무 명이든, 원하는 대로 초대하려무나. 미리 알려만 주고. 공부도 중요하지만 노는 것도 열심히 해야 하지. 최선을 다한 뒤에는 스스로를 보상할 줄도 알아야 하는 법이다. 여기에 대해서는 다음에 더 자세히 알려주마."

할아버지는 잠시 말을 멈추고 내가 들은 내용을 다 곱씹을 때까지 기다렸다.

"친구들에게 전화해라. 다음 주에 와서 자고 가고 싶다는 친구가 있는지 보고, 몇 명이나 올지 알려만다오."

말도 안 되는 소리. 나는 친구들까지 이따위 지옥 훈련에 끌어들일 마음은 한 톨도 없었다. 할아버지가 이런 내 생각을 읽었음에 틀림없다.

"얘야, 다음 주에 여러 가지 재미있는 일을 계획해 두었단다. 셰이스타디움에 가서 뉴욕 메츠의 경기를 보고, RV 차량을 타고 가서 하룻밤 야영을 하고, 오션 시티에서 놀이공원에 가는 거지. 다 정해진 거고, 정말로 다음 주에 수업은 없단다."

　점심을 먹고 나서 부엌에 있는 전화기로 달려가 곧장 친구들에게 전화를 걸었다.

　대략 이런 식으로 여름이 지나갔다. 한 주는 공부하고, 한 주는 놀고. 마음껏 놀아도 되는 일주일은 정말로 굉장했다. 할아버지는 약속을 지켰다. 주말에는 부모님이 왔다. 부모님이 오는 게 너무 좋았다. 주말마다 이산가족 상봉이라도 하는 것 같았다.

04

천재 유전자

둘째 날도 첫째 날과 마찬가지로 시작되었다. 노트를 들고 부엌으로 내려가서, 할아버지가 커피를 다 마실 때까지 기다렸다.

"오늘은 천재 유전자에 대해 알려주마."

식탁에 노트를 펴고, 연필을 꺼내서, 맨 위에 '천재 유전자'라고 적었다.

현관을 나서면서부터 수업이 시작되었다.

"인간은 지구상에서 유일하게 생각을 실체로 바꿀 수 있는 존재다. 우리는 형태가 없는 것을 상상해서 유형의 작품을 창조해내지. 브루클린브리지, 에펠탑, 시어스타워를 보려무나."

솔직히 시어스타워가 뭔지 몰랐다. 다시 한 번 할아버지가 내 마음을 읽은 것이 느껴졌다.

"시어스타워는 시카고에 있다. 1,450피트(약 442미터)로 세계에서 가장 높은 빌딩이지. 꼭대기는 거의 구름 장벽에 맞닿아 있다. 천국을 향해 우뚝 서 있지."

할아버지가 말을 멈추고 가만히 나를 바라봤다.

"네 한계가 어디냐?"

대답할 틈을 주지 않고 바로 말을 이어나간 걸로 보아 순전히 수사적 질문이었음에 틀림없다.

"한계란 없다. 인간은 지상의 모든 생명체 중 가장 놀라운 존재이다. 많은 면에서 우리는 모두 천재라 할 수 있다."

할아버지는 다시 한 번 말을 멈추고 내가 충분히 이해할 때까지 기다렸다.

"많은 책이 신에 대해 이야기한다. 그 중 가장 유명한 책은 당연히 성경이지. 신에 관한 책을 읽어보면, 신을 신답게 만드는 가장 핵심적인 특질이 창조의 능력이란 걸 알 수 있다. 창조의 능력이 신을 특별하게 만들지. 하지만 신 말고도 창조의 능력을 지닌 존재가 있단다. 바로 인간이다. 우리는 머리로 생각한 것을 유형의 물질로 만들어낼 수 있는 능력을 타고난 유일한 존재다. 우리에게는 꿈을 꿀 수 있는 능력이 있고, 그 꿈을 현실로 이루어낼 수 있는 능력이 있다. 우리 모두는 천재 유전자를 부여받았다. 무언가를 창조해 내는 사람들은 천재 유전자를 잘 활용하고 있는 것이지. 천재 유전자를 작동시켜서 사회에 가치를 창출하는 이들을 일컬어 우리는 천재라고 부르고 사회적으로 보상해 준다. 이들은 창조물 덕분에 유명해지고, 많은 돈을 벌지. 무언가를 창조할 때만 우리가 진정으로 인간답다 할 수 있다. 왠지는 모르겠지만, 지구상에서 오직 인간만이 생각한 바를 현실로 바꿀 수 있는 특별한 재능을 타고났다. 평생 창조하며 사는 사람들은 그 누구보다 행복하고, 성취감을 많이 느낀다. 천재 유전자를 활용하면 행복이란 최고의 보상이 따른다. 창조는 우리 인생의 목적이다. 그러나 안타깝게도 대부분은 천재 유전자를 사용하지 않지. 천재 유전자가 잠들어 있을 때 우리는 결코 삶의 주된 목적을 찾지 못한 채 길을 잃고 만다. 너무나 많은 이들이 길을 잃지."

할아버지는 잠시 깊은 생각에 빠졌다. 얼굴에 슬픔이 감돌았던 것도 잠시, 다시 수업을 재개했다.

"천재 유전자를 활성화하지 않으면 불행해지고, 겨우 생계를 이어가게 되고, 잠재력을 발현하지 못하게 된다. 천재 유전자를 활용해야 행복과 성공과 부의 길로 들어설 수 있다. 천재 유전자를 무시하면 불행과 실패와 빈곤의 길로 들어서게 되지."

천재 유전자 활성화하기

"진정으로 행복한 삶을 살고 싶다면 천재 유전자를 활성화해야만 한다. 창조적인 활동을 하면 천재 유전자가 작동하게 되어 있다. 창조력은 다양한 형태로 나타난다. 나 같은 사람들은 글쓰기를 통해 천재 유전자를 활성화하고, 어떤 사람들은 음악을 통해, 어떤 사람들은 남을 가르치면서, 어떤 사람들은 그림, 건축, 제조, 발명, 운동, 연기 같은 다양한 활동을 통해 천재 유전자를 발현한다. 핵심은 평생 창조적인 활동을 할 수 있어야 하며, 이로부터 가족을 부양할 수 있을 만큼 충분한 수입을 얻어야 한다는 것이다. 창조적인 활동을 하면서 돈을 번다면 단 하루도 억지로 일하는 것 같은 기분이 들지 않을 것이다. 오히려 주말에도 계속하고 싶을 정도로 즐기게 되지.

　네가 하는 일에 대한 열정이 없다면 결코 성공적인 삶을 살 수 없다. 창조적인 활동을 할 때에야 비로소 열정을 느낄 수 있다. 창조적인 활동을 하면, 천재 유전자가 활성화되어 열정이 샘솟고, 더욱 창조적인 활동을 하게 된다. 인간의 열정 앞에 산은 평지나 다름없다. 열정을 찾으면 산도 옮길 수 있다. 여기에 대해서는 내일 더 자세히 말해주마."

05

소명 찾기

잠에서 깼을 때 바깥에 비가 억수같이 쏟아지고 있었다. 그럼 오늘은 아무것도 못하겠구나 생각할 무렵에 할아버지가 벌컥 방으로 들어왔다.

"하루 종일 비가 온다는구나. 걱정할 것 없다. 체육관으로 가자."

할아버지의 차고 위층에는 체육관이 있었다. 러닝머신, 스테어마스터의 스텝밀 머신, 실내 자전거, 프리웨이트 등 온갖 운동기구가 있었다. 20인치 벽걸이 TV도 여기저기 걸려 있었다. 할아버지의 스테어마스터, 러닝머신, 실내 자전거에는 책을 놓을 수 있는 받침대가 설치되어 있었다. 실내 운동 기구에서 운동하면서 책을 많이 읽는다고 하셨다.

"운동하면서 책을 읽는 게 그냥 좋다. 형광펜으로 밑줄 긋고, 여백에 메모하는 것도 좋고."

할아버지는 스테어마스터를 차지했고, 나는 그 가까이에 있는 러닝머신에 올라탔다. 그렇게 수업이 시작되었다.

"행복을 달성하기는 어렵다. 실제로 많은 사람들이 불행하게 산다. 헨리 데이비드 소로 역시 '대부분의 사람들이 조용한 절망 속에 살아간다.'고 했다. 대부분은 경제적 곤경 때문이다. 경제적으로 곤란은 겪는 까닭은 버는 것보다 많이 쓰거나, 소득이 부족하기 때문이다. 일을 하면서 충분한 수입을 얻지 못하고 있다면 별로 좋아하지 않는 일을 하고 있기 때문일 것이다. 일도 즐거운데 소득도 충분하다면 소명을 찾은 것이라고 볼 수 있다. 그럼 소명을 찾으려면 어떻게 해야 할까? 믿기 힘들겠지만 소명을 찾는 건 순전히 네 뜻대로 할 수 있다. 먼저, 무엇을 하면 행복한지 생각나는 대로 적어라. 목록이 길수록 좋겠지? 그 중에서 기술이 필요한 항목을 표시해라. 표시된 항목에 각각 해당하는 직종을 적어라. 표시된 항목 중에서 너를 가장 행복하게 하는 일은 1점, 그 다음은 2점, 이런 순서로 점수를 매겨라. 이번에는 소득 잠재력에 따라 가장 소득이 높은 일은 1점, 그 다음은 2점, 이런 순서대로 점수를 매겨라. 둘을 합산해서, 점수가 가장 낮은 항목을 찾아라. 그게 바로 너의 소명이다."

아침을 먹고 나서 할아버지는 내가 필기한 내용을 점검하면서, 도표를 그리게 했다.

설명	직업군	행복도	난이도	총계
반장 선거 출마	정치가, 선거사무장, 전문 연설가	1	3	4
고등학교 학급 스키 여행 조직	행사 기획	2	2	4
대학교 아르바이트로 농구 코치	농구 코치	3	4	7
대학교 아르바이트로 자동차 판매	신차 판매원, 신차 자동차 대리점 점주	6	1	7
학교 신문 기사 작성	기자, 작가	4	5	9
학생군사교육단 (ROTC)	직업 군인	5	6	11

그날은 실내에서 운동을 했다. 할아버지는 일정에 변화를 주는 걸 좋아했다. 어느 날은 온갖 스포츠 종목을 다 섭렵했고, 어느 날은 한 가지 종목만 했다. 그날은 야구만 했다. 저택에서 1마일(약 1.6km) 떨어진 실내 야구장에 갔다. 배트로 공을 치는 연습과 땅볼을 처리하는 연습을 한 뒤 야구장 코치님과 30분 동안 투구 연습을 하는 것으로 훈련을 마무리했다.

코치님은 젊은 시절에 필라델피아 필리스의 투수였다고 한다. 지금은 아이들에게 투구하는 법을 가르치고 있다. 예전에 코치님이 가르쳤던 선수 중 세 명이 현재 메이저리그에서 활약하고 있어서 덩달아 유명해졌다고 한다. 코치님은 커브, 스크루볼, 슬라이더, 타자 앞에서 솟아오르는 라이징패스트볼을 던지는 방법을 알려 주었다. 또한 공을 안쪽으로, 바깥쪽으로, 높게, 낮게 투구하는 법을 알려 주었다. 최고의 투수는 메이저리그에서 가장 오래 공을 던지는 이들이라고 했다. 최고의 투수에게는 공통점이 있다. 바로 뛰어난 제구력이다. 제구력이 핵심이다. 그래서 그 해 여름에 나는 볼을 컨트롤하는 방법을 배웠다.

06
성공 시소

다음 날은 비가 그쳐서, 다시 보드워크로 나가게 되었다. "오늘은 '성공 시소'가 무엇인지, 그리고 성공 시소를 제대로 된 방향으로 기울이려면 어떻게 해야 하는지 가르쳐주마."

그렇게 수업이 시작되었다.

"우리가 매일 하는 행동의 40%는 습관이다. 40%에 달하는 시간 동안 우리는 자동 항법 모드로 작동하는 셈이지. 하루의 40%에 달하는 시간 동안 우리는 스스로 무엇을 하고 있는지조차 생각하지 않는다. 하루의 40%를 좀비 모드로 사는 셈이다. 만약 좋은 생활 습관을 지니고 있다면 다행이다. 하지만 나쁜 생활 습관을 지니고 있다면 큰일이다. 무의식 중에 우리 모두는 부유해지고 있거나, 빈곤해지고 있거나 둘 중 하나인 게지. 습관이 부와 빈곤, 행복과 불행을 결정한다.

기본적으로 습관은 부모가 길러준다. 만약 부모가 아이에게 좋은 습관을 길러 주었다면, 그 아이는 자라서 부유하고 행복한 어른이 될 가능성이 높지만, 아이에게 나쁜 습관을 들였다면, 그 아이는 자라서 가난하고 불행한 어른이 될 가능성이 매우 높다. 이게 바로 빈부격차의 근본적 원인이고, 부자가 더 부유해지고, 가난한 사람이 더 가난해지는 이유지.

습관은 두뇌 한가운데 자리한 대뇌 기저핵에 저장된다. 뇌는 의도적으로 뇌의 다른 부분으로부터 습관을 관장하는 영역을 따로 분리한다. 더욱 효율적으로 기능하기 위해 습관에는 거의 처리 능력을 사용하지 않는 것이지. 다른 중요한 기능을 위해 뇌의 부하를 줄이는 것이다. 만약 좋은 습관을 지니고 있다면 저절로 성공에 가까워지는 셈이니 더할 나위 없이 좋지만, 나쁜 습관을 지니고 있다면 무의식중에 빈곤과 실패에 가까워지고 있는 셈이니 과히 좋지 않다. 다행히 습관은 바꿀 수 있다.

머릿속에 시소를 떠올려봐라. 시소 한쪽에는 네가 가진 모든 좋은 습관이 있고, 반대쪽에는 네 모든 나쁜 습관이 있다고 상상해봐라. 이제부터 좋은 습관을 부자 되는 습관, 나쁜 습관을 가난해지는 습관이라고 부르마.

부유하고 성공적인 삶을 사는 이들은 가난해지는 습관보다 부자 되는 습관을 훨씬 많이 지니고 있다. 금전적으로 곤란을 겪는 사람들은 부자 되는 습관보다 가난해지는 습관을 훨씬 많이 지니고 있지. 그 중간쯤 되는 것이 바로 중산층이다. 중산층은 부자 되는 습관과 가난해지는 습관을 균등하게 지니고 있다. 시소가 제대로 된 방향으로 기울도록 하기 위해서는 그저 몇 가지 생활 습관을 바꾸기만 하면 된다. 네가 중산층인데 부자가 되고 싶다면 부자 되는 습관을 몇 가지 추가하고, 가난해지는 습관을 몇 가지 없애면 된다. 네가 만약 가난한데 부자가 되고 싶다면 부자 되는 습관을 서너 가지 추가하거나 가난해지는 습관을 최대한 없애면 된다.

빈곤층과 중산층을 가르는 건 겨우 몇 가지 습관뿐이다. 일상생활에 약간의 변화만 주면 되는 정도지. 지금 이야기한 내용의 이해를 돕기 위해 도표를 마련해 두었다."

아침을 먹고 나서 필기한 내용을 검토한 뒤 부자의 습관과 빈자의 습관 도표를 살펴보았다. 할아버지는 부엌 옆에 딸린 작은 서랍장에서 테이프를 꺼내주면서, 도표를 노트에 붙이라고 하셨다.

노트에 도표를 테이프로 붙여두었다.

부자지간의 여행을 위해 사우스벤드를 향하여 차로 달린지 세 시간쯤 지났다. 브렌던은 노트의 '성공 시소' 부분을 펴서 도표를 보고 있었다. 그 순간 격한 감정이 밀려들었다. 강렬한 애정이 솟아올라 온몸에 전율이 일었다. 당시 할아버지가 내게 부자 되는 습관을 가르쳐 주며 어떤 감정을 느꼈을지 이제야 비로소 알 것 같았다. 한없는 사랑이었다.

"잠깐 쉬었다 얘기할까?"

"무슨 말씀이세요. 계속 이야기해주세요. 증조할아버지에 대해 더 듣고 싶어요."

그래서 나는 저지 쇼어에서 할아버지와 함께 보냈던 1984년 여름에 대한 얘기를 이어갔다.

07

성공의 눈사태

이튿날 할아버지는 '성공은 보통 긴 가뭄 끝의 폭우처럼 찾아온다'는 이야기로 수업을 시작했다.

"오랫동안 아무 일도 일어나지 않으면 맥이 빠질 게다. 그래도 참아내야 한다. 인생을 바꾸어 놓을 큰 사건이 반드시 일어날 테니. 그런 사건이 네 삶을 성공으로 이끌어 줄 것이다.

성공은 쉽지 않다. 시간과 끈기와 열정과 광신에 가까운 집착이 필요하다. 성공한 사람들은 광신도이다. 성공에 집착한다. 성공은 결과가 아니라 과정이란 점을 알고 있다. 스스로를 타인과 다르게 만드는 특정한 습관을 매일 반복하며 성공의 길로 나아간다. 성공의 길은 지뢰밭이나 다름없다. 성공의 길에서 겪는 감정기복은 이루 다 설명할 수 없다. 한 번 물면 놓지 않는 투지와 강철 같은 정신력이 필요하다는 점만 말해 두마.

성공에 가까워지기 위해서는 소소한 습관을 매일 반복해야 한다. 부자들은 기본적으로 부모에게 좋은 습관을 물려받고, 그 습관을 일상화한다. 좋은 습관은 장차 성공의 도구가 된다. 대부분의 사람들은 부모에게서 나쁜 습관을 물려받는다. 그래서 그토록 많은 사람들이 경제적으로 곤란을 겪으며, 근근이 살아가는 게다.

부유한 부모가 자녀에게 물려주는 좋은 생활 습관을 5년 동안 연구한 결과 10가지 성공 습관을 발견할 수 있었다. 이 열 가지 습관이 바로 성공의 열쇠인 셈이다. 나는 이 열 가지 습관을 부자 습관이라고 부른다. 부자 습관을 따른다는 것은 곧 성공의 계단을 오른다는 의미이다. 삶으로 성공을 끌어들인다는 의미이다.

하지만 여기에는 시간이 든다. 성공한 사람들은, 매일 부자 습관을 따르다보면 성공의 계기가 되는 사건, 즉, '성공의 눈사태'에 점점 가까워진다는 사실을 잘 알고 있다.

부유한 사람들은 특정한 습관을 매일 반복하고, 부자
되는 습관을 적용하여 인생을 성공의 과정으로 삼으면,
성공의 눈사태를 맞을 수 있다는 사실을 이해하고 있
다. 매일 부자 습관을 따르다보면 성공의 눈사태에 가
까워진다."

할아버지는 잠시 말을 멈추고, 깊이 숨을 들이마셨다.

"매일 부자 습관을 지켜라. 시간이 흐르면 산비탈에
눈송이가 쌓이듯 기회 운이 불어날 것이다. 눈송이 같
은 기회 운이 쌓이다보면 결국에는 성공의 눈사태가 일
어날 것이다. 성공의 눈사태는 매일 부자 습관을 지키
는 데 따르는 부산물이다. 매일 부자 습관을 지키며 들
였던 노력에 비하면 차후에 따르는 경제적 보상은 가히
파격적이다. 일상의 노력에 비해 보상이 터무니없이 크
게 느껴질 수도 있다. 그러나 부는 실제로 이렇게 창출
되고, 성공의 눈사태는 실제로 일어난다. 부자들은 수
천 년 동안 이런 식으로 어마어마한 부를 축적했다."

아침을 먹으면서 할아버지에게 부자 습관이 무엇인
지 여쭤봤다. 할아버지는 더 자세한 내용은 다음 주에
알려주겠다고 했다. 잽싸게 노트를 치웠다.

08

휴가

"첫 번째 쉬는 주에 온갖 신나는 경험을 했단다. 약속
대로 네 증조할아버지는 저지 쇼어 저택에 친구들을 초
대할 수 있게 해 주었지. 얼마나 신이 나던지. 할아버지
친구 분이 기꺼이 셰이스타디움 귀빈석에 앉을 수 있게
호의를 베풀어준 덕에 박스석에서 뉴욕 메츠가 필라델
피아 필리스와 경기하는 걸 볼 수 있었단다."

"셰이스타디움이면, 예전에 메츠의 홈구장이었죠?"

"그렇지. 몇 년 전에 셰이스타디움을 철거하고, 지금
의 시티 필드를 새로 지은 거란다."

브렌던이 고개를 끄덕였다.

"우리 중 누구도 이전에 귀빈석에 들어가 본 적이 없었단다. 핫도그, 햄버거, 감자튀김은 물론이고, 없는 게 없더구나. 초반 몇 이닝이 끝나고, 네 증조할아버지는 우리를 데리고 야구장을 구경시켜 주었고, 메츠 유니폼과 모자도 사 줬단다. 그날 돈을 많이 쓰셨을 거야. 아빠 친구들은 네 증조할아버지가 세상에서 제일 멋진 할아버지라고 했지. 다음 날에는 우리를 포인트 플레전트 비치에 있는 젠킨슨스 놀이공원으로 데려갔단다. 놀이기구를 타고, 솜사탕과 캔디 애플을 먹고, 오락실에서 게임을 하고, 보드워크를 따라 걸었지.

셋째 날에는 비가 왔단다. 그래서 그 날은 영화 보는 날이 됐지. 대형 영화관에서 연달아 영화 세 편을 봤단다. 네 증조할아버지는 코미디 영화와 공상과학 영화를 좋아하셨어. 할아버지가 영화 두 편을 고르게 해 주면, 우리가 영화 한 편을 고르게 해 주겠다고 해서 그렇게 했지.

넷째 날은 그레이트 어드벤처의 워터파크로 갔단다. 할아버지도 우리와 함께 수상 놀이기구를 탔어. 다 같이 커다란 튜브를 타고 3층 높이에서 내려오는 빅 튜브 라이드도 탔고. 더운 날이었으니, 물놀이하기 딱 좋았지.

그레이트 어드벤처에서 물놀이를 한 뒤에는 할아버지의 RV 차량에 우르르 몰려타고 케이프 메이에 있는 빅 팀버 레이크 야영장으로 갔단다. 우리가 텐트를 쳤고, 네 증조할아버지가 불을 피웠지. 별빛 아래 둘러앉아 할아버지가 가 보았던 나라와 만나 보았던 유명인사에 대한 이야기를 시간 가는 줄 모르고 들었단다. 정말로 유명 인사들을 많이 아시더구나. 대부분은 할아버지의 부자 습관 강의 수강생들이었어.

마지막 날은 오션시티 동물원으로 갔어. 얼룩말, 코끼리, 타조, 캥거루, 카피바라라고 하는 커다란 쥐 같이 생긴 동물까지 온갖 이국적인 동물들이 거기 다 있더구나.

그 주에 친구들에게 할아버지의 성공 수업에 대해 이야기해 주었단다. 노트를 보여주고, 받아 적은 내용을 읽어주기까지 했지. 시큰둥하더구나. 오후의 스포츠 훈련에 대해서나 흥미를 보였을까. 그건 꽤 멋지다고 생각했던지, 네 증조할아버지가 자기네들 할아버지였으면 좋겠다고 할 정도였어. 친구들과 한 주를 보내면서 마음에 파문이 일었단다. 그때쯤, 어쩌면 이번 여름이 그렇게 나쁘지는 않을 거란 생각이 들었던 거지."

09

성공하는 사람들의
세 가지 기질

행복했던 한 주를 뒤로한 채 일상으로 돌아왔다. 오늘 수업의 주제는 '성공하는 사람들의 세 가지 기질'이었다.

"부를 쌓고 성공을 거두는 사람들은 다들 몰입, 끈기, 인내란 세 가지 특징을 지니고 있다."

몰입

"몰입은 강제적 몰입과 자발적 몰입으로 나뉜다.

강제적 몰입은 그다지 유쾌하지 않다. 통상적으로 강제적 몰입을 일컬어 '일'이라고 부른다. 강제적 몰입은 기한과 책무에서 기인하지.

자발적 몰입은 강제적 몰입과는 완전히 다르다. 자발적 몰입은 일이 아니다. 자발적 몰입은 정말 특별하다. 자발적 몰입은 저절로 일어난다. 유통기한이 매우 긴 강렬한 몰입이기 때문에 가장 강력하다. 성공한 사람들은 소명을 좇아 목표에만 집중하기로 유명하다. 몇 년이 흘러도 이 집중력은 흐려지지 않지. 소명을 찾으면 자발적 몰입이 뒤따른다. 또한 소명을 찾으면, 열정이 엄청난 실천 욕구를 불러온다. 제어가 불가능할 정도다. 저항하려해도 소용없다. '소명=열정=자발적 몰입'이란 공식이 성립한다.

온종일 소명에 대해서만 생각한다면 자발적 몰입에 들어선 게다. 자발적 몰입은 깨어있는 모든 순간을 채운다. 자발적 몰입에 빠지면, 목표에만 사로잡힌다. 자발적 몰입을 통해, 살면서 맞닥뜨리게 될 모든 장해물을 극복할 수 있다. 소명을 찾았다면 '방법'에 대해서는 더 이상 고민하지 마라. '이유'만이 진정으로 중요하다. 그 '이유'가 바로 소명이다. '이유'를 찾으면, '방법'은 마법처럼 나타난다. 생이 저절로 길을 열어줄 것이다. 자발적 몰입을 통해 더 나은 사람이 될 수 있고, 새로운 기술을 배울 수 있고, 눈앞의 현실과 미래의 현실 사이의 간극을 메울 창조적 해결책을 고안해낼 수 있다."

끈기

"끈기는 목표나 소명을 향한 지속적 노력을 가리킨다. 대부분의 사람들에게는 끈기가 없다. 그래서 대다수가 부유하지 않은 것이다. 인생에서 실패하는 주된 이유는 끈기가 부족하기 때문이다. 부유한 사람들은 이 '끈기'라고 하는 부자 습관을 가지고 있다. 이들의 사전에 포기란 없다. 이들은 오로지 목표와 소명만 바라본다.

인생이란 놈은 참 재미있는 녀석이다. 우리가 꿈을 좇을 때 이 인생이란 놈은 온갖 시련을 준다. 그럴 때 우리는 왜냐며 발버둥치지. 인생은 우리가 가는 길에 사사건건 훼방을 놓는다. 도대체 왜? 인생은 우리를 벼랑 끝까지 몰아붙인다. 왜일까? 내 답은 이렇다. 우리에게 끈기를 길러주기 위해서다. 끈기는 우리를 단련시킨다. 다음번에는 더 쉽게 장해물을 극복할 수 있게 해준다. 인생은 결코 우리에게 불리하게 작용하지 않는다. 오히려 그 반대다. 모든 장해물은 우리를 훈련시킨다. 모든 실수는 학습 경험이 된다. 모든 장해는 우리를 더 높은 수준에 도달하게 만든다. 시련은 우리를 진화시키고, 우리를 더 완벽하게 만든다."

할아버지는 한 가지 예를 들었다.

"영국 본토 항공전은 역사상 가장 길었던 공중전이다. 영국 공군은 독일 공군에 맞서 끈질기게 영국을 수호했다. 장장 4개월에 달하는 끈질긴 저항에 못이겨 독일군의 영국 침략은 좌절되었다. 독일군은 러시아로 방향을 선회했고, 이로써 전쟁의 판세가 바뀌었지."

인내

개인적으로 할아버지는 인내가 가장 힘들다고 했다.

"아무리 열심히 몰입하고 끈질기게 버텨도, 성공에는 시간이 걸린다. 인생의 목표를 깨닫는 데만도 한참이 걸린다. 인생은 마라톤이다.

인생을 마라톤이라고 상정하고 접근해야 한다. 그렇지 않으면 인내심을 잃고, 포기하게 된다. 인내는 소명을 달성하겠다는 불굴의 의지와 신념에서 비롯된다. 믿음이 기적을 만든다. 인생이 던지는 숙제가 너의 인내를 시험할 것이다. 시련이 있어야 한 단계 더 성숙할 수 있음을 이해해야 참고 계속할 수 있다. 인생에게 이렇게 외쳐라. '목표를 달성하고, 소명을 이룰 때까지 나는 참아낼 것이다.'

성공은 아주 가까이에 있다. 산더미 같은 실수와 실패 뒤에 숨어 있다. 지금 당장 눈에 보이지 않을 뿐이다. 성공은 낯을 가린다. 너에 대해 더 잘 알고 싶어 한다. 네게 성공에 필요한 자질이 있는지 따져본다. 네가 결코 그만두지 않으리라는 확신이 생길 때, 비로소 성공은 수줍게 인사를 건넨다.

불가능하다는 말은 무시해라. 꿈꾸지 말라고, 한낱 몽상을 좇지 말라고 하는 말은 듣지 마라. 넌 할 수 없다거나, 넌 그만큼 똑똑하지 않다는 말은 싹 무시해라. 안타깝게도 네 꿈을 짓밟는 사람들은 대체로 네가 가장 사랑하는 사람들, 네 가장 가까이 있는 사람들이다. 그들이 널 말리거나, 널 짓밟게 놔두지 마라. 넌 네가 생각하는 것보다 훨씬 더 가치 있는 사람이다. 삶의 목표를 향해 인내를 가지고 끊임없이 나아가라. 벼랑 끝에 몰려서 실패와 실수의 무게에 짓눌려 버릴 것만 같은 순간에 비로소 스스로의 진가를 알 수 있다. 그만두기 일보 직전인데, 어떤 이유에선지 도저히 그만두지 못하고 있다면, 바로 그게 인생이 너에게 윙크를 보내고 있다는 신호이다. 바로 그런 때 기대하지 않았던 성과가 생긴다. 한 번도 상상하지도, 예상하지도 못했던 일이 갑자기 일어난다. 참고 계속하기만 한다면 인생이 네 의지에 굽히게 되어 있다. 인생이 적에서 동지로 바뀐다."

아침을 다 먹은 뒤 아이리시 펍 위에 있는 할아버지의 작업실로 갔다. 할아버지의 작업실은 매번 볼 때마다 감탄스럽다. 작업실의 절반은 도서관을 축소해놓은 것 같았는데, 수십 개의 책장이 줄지어 서 있었다. 할아버지는 가진 걸 자랑하지 않았다. 자랑을 늘어놓는 건 가난한 사람들의 습관이라고 여겼기 때문이다. 그러나 책에 관해서라면 예외였다. 가까운 지인들에게만 본인이 토머스 제퍼슨보다 더 많은 책을 소장하고 있다고 자랑하곤 하셨다. 난 토머스 제퍼슨이 책을 몇 권이나 가지고 있었는지 몰랐기 때문에 할아버지께 여쭤봤다. 할아버지는 2,000권 이상이라고 했다. 토머스 제퍼슨이 연방 정부에 판매한 장서를 시초로 오늘날의 미국 의회도서관이 탄생했다고 한다.

할아버지는 이번 여름에 전부 읽었으면 한다며 추천 도서 목록을 건네줬다. 그러더니 큰 가방을 쥐여 주며 따라오라고 했다. 따라가니 서고의 자기계발 섹션에서 중요한 순서대로 다음과 같은 책을 한 권씩 꺼내 주셨다.

1. J.C. 잡스 『부자 습관(Rich Habits)』
2. 조셉 머피 『잠재의식의 힘(The Power of Your Subconscious Mind)』
3. 데일 카네기 『인간관계론(How to Win Friends and Influence People)』
4. 호세 실바 『마음의 창조학 마인드 컨트롤(The Silva Mind Control Method for Getting Help From Your Other Side)』
5. 나폴레온 힐 『놓치고 싶지 않은 나의 꿈 나의 인생 (Think and Grow Rich)』
6. 맥스웰 몰츠 『성공의 법칙(Psycho Cybernetics)』
7. 클로드 브리스톨 『신념의 마력(The Magic of Believing)』
8. 노먼 빈센트 필 『긍정적 사고방식(The Power of Positive Thinking)』
9. 조지 클래이슨 『바빌론 부자들의 돈버는 지혜(The Richest Man in Babylon)』
10. 얼 나이팅게일 『가장 낯선 비밀(The Strangest Secret)』

책을 다 챙긴 뒤 할아버지는 가방을 방으로 들어다줬다. 책상 위에 가방과 도서 목록을 내려 놓은 다음, 침대에 걸터앉았다.

"이제 저건 다 네 차지다. 여름이 가기 전에 읽을 수 있는 한 최대한 많이 읽어둬라."

할아버지는 일어나 창가로 가서 창밖을 응시했다.

"일정에 조금 변화를 줄까한다."

창가에서 돌아서서 다시 책상으로 가서는, 가방에서 『부자 습관(Rich Habits)』 책을 꺼내 건넸다.

"아침 먹고 나서 이 책을 끝까지 다 읽어라. 3시간쯤 걸릴 게다. 다 읽고 나면 깜짝 선물을 주마. 작업실에 있을 테니 필요하면 그리로 오려무나."

할아버지가 방에서 나갔고, 나는 침대에 엎드려 책을 읽기 시작했다. 이 책은 할아버지의 첫 작품이었다. 마치 짠 듯이 정말로 세 시간 만에 책을 다 읽었고, 내가 미처 눈치채기도 전에 할아버지는 계단으로 올라와 방문 앞에 서 있었다.

"다 읽었니?"

"네, 방금요. 어떻게 아셨어요?"

"내가 그 놈의 책을 썼지 않냐. 테니스 용품 챙겨 나와라. 테니스 클럽으로 가자. 10분 안에 준비하고 내려오거라."

클럽에는 프로 선수 출신의 테니스 코치가 있었다. 존 매켄로, 비타스 게룰라이티스 같은 유명한 테니스 선수를 지도한 적도 있는 분이었다. 덕분에 그는 가르치고 싶은 선수만 골라서 가르칠 수 있다고 했다. 할아버지의 입김으로 그 해 여름에는 나를 가르치게 됐다. 그는 할아버지의 부자 습관 강의를 들었던 수강생이었다. 이제는 부자 습관을 가르치는 강사로도 활동하고 있다고 한다. 그 날 이후 남은 여름 동안 그 사람은 내 테니스 코치가 됐다.

"여름이 끝날 무렵에 넌 토너먼트에서 우승할 수 있을 것이다. 매치를 어떻게 헤쳐 나가야 할지 생각할 수 있게 될 것이다. 토너먼트에서 우승하는 방법을 알려주겠다."

지극히 사실만을 말한다는 식의 어투였다. 첫 번째 테니스 레슨이 시작됐다.

할아버지는 농구 코치와 야구 코치까지 줄줄이 섭외

해줬다. 모두 프로 선수 출신이었고, 하나같이 전국적으로 신망을 받고 있는 코치들이었다. 할아버지의 영향력이 미치지 않은 곳이 없는 듯했다. 이렇게 여름이 흘러갔다. 수업을 듣고, 독서를 하고, 운동을 배웠다. 처음에는 감당하기 벅찼지만 불과 며칠 만에 이 일정을 즐기게 됐다.

10

'운'에 대한 이해

이튿날 수업 주제는 '운'이었다. 할아버지는 오늘 수업이 매우 중요하다고 강조하면서, 많은 이들이 운에 대해서 혹은 운의 여러 가지 종류에 대해서 잘 모른다고 했다.

"성공은 달성하기 어렵다. 성공에는 반드시 행운이 필요하다. 이는 5년 동안의 연구 끝에 발견한 가장 근원적인 진실 중의 하나이다. 이는 내 성공의 중추이기도 하다. 바로 부자는 스스로 행운을 만들어 낸다는 사실이다. 실패한 사람들은 성공한 사람들을 그저 무작위적 행운의 수혜자일 뿐이라고 생각한다. 그저 때와 장소가 맞아 떨어졌을 뿐이라고 생각한다. 하지만 실제로 성공을 거머쥐는 사람들은 스스로가 자신만의 고유한 행운을 창조해 낸다. 매일 특정한 습관을 반복하며 앞으로 나아가, 행운이 일어날 기회를 만들어 낸다. 부자가 어떻게 운을 불러오는지 이해하기 위해서는, 먼저 이 세상에는 네 가지 종류의 운이 있다는 점부터 짚고 넘어가야 한다."

---

❶ 무작위의 행운   ❷ 무작위의 불운

❸ 기회 운   ❹ 불행 운

무작위의 행운

"무작위의 행운은 아무도 통제할 수 없다. 복권에 당첨되거나, 돈이 있는 줄도 몰랐던 나이든 친척에게서 유산을 물려받는다거나, 부잣집에서 태어나는 게 여기에 속한다."

무작위의 불운

"보통, 사람들이 운이 없다고 말하면, 그건 곧 행운이 없다는 말이다. 사실, 누구나 살면서 무작위의 운을 경험한다. 무작위의 운은 누구에게나 평등하다. 부자에게든, 빈자에게든, 누구에게나 일어나는 일이다. 안타깝게도 이 무작위의 운이란 것이 무작위의 불운일 때도 있다. 번개에 맞거나, 회사가 도산하거나, 신체적 장애를 안고 태어나는 게 여기에 속한다."

기회 운

"부자가 만들어내는 행운을 일컬어 기회 운이라 한다. 기회 운은 매일 특정한 습관을 반복한 결과로 생기는 부산물이다. 행운을 불러오려면 부자 습관이 바탕에 깔려 있어야 한다. 부자 습관은 성공의 기반이다. 부자 습관이 있고 없고가 성공한 사람과 그렇지 않은 사람을 가르는 기준이 된다. 부자 습관과 기회 운은 성공이라는 동전의 양면이다. 부자 습관 없이는 기회 운도, 성공도 없다. 매일 부자 습관을 지키면서, 부자는 삶으로 운을 불러들인다. 부자 습관을 지키면서 살면, 기회 운이 모습을 드러낸다. 부자 습관을 지키다보면, 기회를 의식하게 된다. 기회를 보는 안목이 생긴다. 기회라는 것이 때로는 일의 탈을 뒤집어쓰고 나타난다. 어떨 때는 금전적 투자 혹은 시간적 투자라는 형태로 나타난다. 기회 운이 란 것은 지극히 평범한 사람이 판매하는 제품이나 아이 디어 혹은 작가가 홍보하는 책이란 형태로 나타날 수도 있다. 부자 습관을 지키며 상상할 수 없을 정도의 부를 달성한 이들은, 언제나 기회 운을 잘 활용했다."

할아버지는 어김없이 또 예를 들어 설명했다.

"기회 운을 나무라고 치자. 특정한 방식으로 부자 습 관을 지키면서 살게 되면, 넌 기회 운이란 씨앗을 심는 격이다. 씨앗을 키우면, 즉, 부자 습관을 지키면, 이 기 회 운이란 나무가 자라기 시작한다. 이윽고, 기회 운이 란 나무는 열매를 맺을 것이다. 이 열매를 기회 운의 구 체적 모습이라고 생각해보자. 이 열매에는 급여 인상, 승진, 보너스, 횡재, 건강하게 오래 사는 것, 좋은 관계 같은 것들이 있다.

대부분의 부유한 사람들은 스스로가 운을 만들었다 는 걸 잘 모른다. 그저 본인들이 원래 운이 좋다고 생 각한다. J. 폴 게티는 1900년대 석유왕이다. 어떻게 그 토록 광대한 부를 쌓을 수 있었냐는 질문에 그는 이렇 게 대답했단다. '누군가는 석유를 찾았지만, 다른 이들은 못 찾았을 뿐이지요.' 폴 게티 본인조차 자신의 부가 무작위의 행운이라고 생각했던 게지. 바로 이러한 까닭에 성공이란 개념이 미지의 장막에 뒤덮여 있는 것이란다. 그래서 '성공의 비결'이란 말이 성립하는 것이고. 하지만 내 연구 덕에 성공의 비결은 더 이상 비밀이 아니게 되었지. 실상, 부를 창출한다는 것은 부자 습관을 지켜서 성공을 삶의 과정으로 만들고, 예고없이 나타나는 기회 운을 포착하는 것, 그 이상도 이하도 아니란다. 부자 습관에 대해서는 조만간 더 자세히 알려주마."

불행 운

"가난한 사람들은 빈곤 습관 탓에 특정 종류의 불운, 소위 말해 불행 운이라 하는 것을 불러온단다. 기회 운과 마찬가지로 불행 운이란 나무도 있다. 빈곤 습관을 지니고 있다면 불행 운이란 나무의 씨앗을 심는 격이다.

계속해서 빈곤의 습관을 지니고 산다는 건, 곧 불행 운이란 나무를 키우는 격이 되지. 이윽고, 이 불행 운이란 나무가 열매를 맺는다. 그러나 이 열매는 조심해야 한다. 불행 운이란 나무에서 난 열매는 파산, 실직, 좌천, 심장마비, 당뇨 같은 것들이다.

부자가 되고 싶다면, 불행 운을 없애고 기회 운을 삶으로 끌어들여야 한다. 그러려면 부자 습관을 지니고 있어야 하고. 습관은 바꿀 수 있다. 누구나 언제든 가능하다. 불가능한 위업 같은 것이 아니다. 가난해지는 습관을 없애고, 부자 습관을 받아들이는 데는 30일이면 충분하다.

부자 습관을 받아들이면 기회 운을 불러오게 되고, 불행 운에 방화벽을 세우게 된다. 야구로 치자면 더블플레이 같은 것이다. 부자 습관을 지키며 살면, 성공 가능성이 두 배가 된다. 궁극적으로, 습관을 바꾸면 운이 바뀌고 삶이 바뀌게 된다."

11

멘토의 중요성

"인생에 멘토를 둔다는 것은 은행 계좌에 수백만 달러를 예치하는 것과 같다. 멘토는 성공에 결정적인 역할을 한다. 삶에서 성공 멘토를 찾을 수 있는 기회는 총 다섯 번이다."

부모

"어쩌면 부모가 인생의 유일한 멘토가 될 수도 있다. 부모는 모두 자식에게 가장 좋은 것을 해주고 싶어 한다. 자녀가 행복하게 살고, 성공하길 바라지. 하지만 저절로 그렇게 되지는 않는단다. 제멋대로 내버려두면,

아이는 가장 쉬운 길을 택할 가능성이 높다. 숙제는 제일 나중으로 미루고 딴 짓하느라 바쁠 테지. 부모의 역할은 아이에게 행복하고 성공적인 삶을 살 수 있는 방법을 가르쳐주는 것이다."

할아버지는 잠시 말을 멈추고 모래사장너머 먼 곳을 바라봤다. 딱 맞는 단어를 찾으려는 듯했다. 그 모습은 마치 어디가 아픈 사람처럼 보이기까지 했다.

"실은 말이다. 우리 사회에서 빈곤은 대부분 부모의 책임이다. 경제 탓도, 정부 탓도, 부자 탓도, 대기업 탓도, 교사 탓도 아니다. 부모 때문이다. 아주 많은 사람들과 오랫동안 이 문제로 다퉜다. 부모에게서 배운 가난의 습관 때문에 빈곤해진다는 사실을 받아들이기란 어려운 법이니 말이다. 스스로를 비난하기보다는 남 탓을 하는 게 훨씬 쉽겠지. 이런 사람들은 개인적 차원에서 책임지고 가난에 종지부를 찍으려하지 않는다. 계속 가난하게 살고 싶다면 모를까 이런 사고방식은 아무짝에도 쓸모가 없다. 주변 환경을 가지고 항상 남 탓을 하는 사람은 절대로 성공할 수 없다. 부모가 자식에게 개별 주체로서 스스로의 삶을 책임지게 하는 부자 습관을 심어주는 것은 매우 중요하다. 자식에게 반드시 부자 습관을 가르쳐야 한다. 자녀는 부모를 보고, 행동과 습관을 모방한다. 만약 부모의 행동과 습관이 빈곤의 습관이라면, 아이는 어른이 되어서도 가난해지는 습관을 반복하게 된다. 부모에게서 가난의 습관을 물려받은 아이는 어른이 되어 불행하고, 가난하고, 실패한 삶을 살게 된다. 더 심각한 문제는 후대에까지 가난의 습관을 물려주어 다음 세대로 빈곤의 악순환을 영속화하게 된다는 사실이지. 바로 이 때문에 가난한 사람들이 점점 더 가난해지는 거란다.

부모에게서 부자 습관을 배우며 자란 아이들은 커서 행복하고, 부유하고, 성공적인 삶을 산다. 안타깝게도, 가정에서 부자 습관을 배우며 자라는 아이들은 전 인구의 5%밖에 되지 않는다. 이들 5%는 경제적으로 어려움을 겪지 않는다. 이들은 좋은 집에 살고, 좋은 곳으로 휴가를 간다. 대체로 교육 수준도 높지. 가장 중요한 점은 부자 습관을 가르치는 가정에서 자란 아이들은 어른이 되어 자녀에게 부자 습관을 물려주게 되고, 부자 습관을 배우며 자란 자녀의 자녀가 어른이 되면 그 아이들 역시 행복하고, 부유하고, 성공적인 삶을 살게 된다는 게다. 이렇게 부의 선순환은 세대를 넘어 영속된다. 이 때문에 부유한 사람들은 점점 더 부자가 되지.

며칠 전에 이야기했던 성공 시소 기억하느냐? 한쪽에는 부자 되는 습관이 있고, 반대쪽에는 가난해지는 습관이 있는 시소 말이다. 행복과 성공으로 가는 열쇠는 50% 이상의 생활 습관을 부자 습관으로 만드는 것이다. 이로써 시소는 행복하고 성공적인 삶으로 기울게 되지. 만약 50% 이상이 가난해지는 습관이라면 시소는 잘못된 방향으로 기울어진다. 그렇게 되면 삶이 불행해지고 경제적으로 어려움을 겪게 된다.

부모라는 게 자식의 의식주만 해결해 준다고 다 되는 게 아니란다. 부모는 모름지기 자녀의 멘토가 되어야 하는 법이다. 자녀가 행복한 부자가 되기를 바란다면, 부모는 반드시 자녀의 멘토가 되어야 한다. 자식에게 멘토의 역할을 하는 부모야말로 참된 부모라 할 수 있다. 제 몫을 하는 어른으로 키우는 게 전부가 아니다. 특출난 아이로 키워야 진정으로 멘토 역할을 다했다고 할 수 있다. 행복한 부자로 키워야 하는 것이다. 부모의 멘토링이 자녀를 성공으로 이끈다는 법칙에 예외란 없다. 성공한 부자들을 보면, 그들의 삶에 부자 습관을 심어준 멘토가 반드시 한 명 이상은 존재한다는 걸 발견하게 될 게다."

할아버지는 예를 들어 주장을 뒷받침하는 데 선수였다. 아니나 다를까 부모를 멘토로 두었던 성공한 사람들의 목록을 줄줄 읊었다.

워런 버핏

"워런 버핏의 부친이 주식 중개인이었다는 사실을 아는 사람은 많지 않다. 워런 버핏이 세계 최고의 투자가가 된 것은 우연이 아니다. 워런 버핏의 멘토는 바로 그의 부친이었다."

케네디 가

"조지프 케네디는 성공한 정치인이자 아들 존 F. 케네디, 바비 케네디, 테디 케네디의 훌륭한 멘토이기도 했다. 조지프 케네디의 세 아들은 모두 유명 정치인으로 크게 성공했다."

존 퀸시 애덤스

"존 퀸시 애덤스는 미국의 제6대 대통령이다. 아버지 존 애덤스는 건국의 아버지이자 미합중국의 제2대 대통령을 역임했다. 존 퀸시 애덤스는 아버지 존 애덤스와 함께 프랑스에서 유년 시절을 보냈다. 아버지 애덤스가 부자 습관을 길러주고, 배움에 대한 갈망을 심어주면서, 아들 애덤스의 삶에 큰 영향을 끼쳤다.

아이를 성공으로 이끈 부모에 대한 이야기에는 한 가지 공통점이 있다. 바로 멘토십이다. 멘토 부모 아래에서 자란 아이들이 훌륭한 인생을 사는 것은 결코 우연이 아니다."

교사

"최고의 교사는 성공 멘토의 역할을 한다. 교사는 아이들이 부모에게서 받은 멘토링을 보충하기도 하고, 가정에 성공 멘토가 없는 아이들에게 멘토가 되어 줄 수도 있다."

직장

"직장에서 멘토를 찾으면 인생에서 성공할 확률이 더욱 높아진다. 그렇다면 어떻게 직장에서 멘토를 찾을 수 있을까? 간단하다. 직장에서 존경할만한 인물을 찾아서 멘토가 되어달라고 부탁하면 된다. 멘토로 삼기에 딱 맞는 존이란 사람을 발견했다고 치자. 그러면 이렇게 부탁해라. '존, 함께 일하면서 느낀 건데 정말로 업무에 뛰어나신 것 같아요. 배우고 싶은 점이 많은데, 멘토가 되어달라고 부탁드려도 될까요?'

그러면 이 존이란 사람이 어떻게 거절할 수 있겠느냐? 얼간이가 아닌 이상 칭찬에 기뻐하면서 흔쾌히 수락하겠지. 성공한 사람들의 흥미로운 특징이 무엇인 줄 아느냐? 보통 사람들은 잘 이해하지 못하겠지만, 성공한 사람들은 진심을 다해 타인의 성공을 돕는단다. 이들은 멘토가 되는 게 일방통행이 아니란 점을 잘 알고 있다. 멘토링을 통해 스스로가 더 나은 스승이 될 수 있다는 걸 알고 있다. 해당 분야를 정말로 잘 알고 있어야 남을 가르칠 수 있기 때문이다. 멘토링은 양쪽 모두에게 도움이 된다. 시간이 흐르며 유대가 깊어져 단순한 직장

선후배 이상의 관계가 되면, 네 직장 멘토는 일에만 국한되지 않는 더 많은 것을 알려주게 될 게다. 직장에서뿐만 아니라 삶에서 성공하는 방법까지 알려주겠지. 도덕률, 성공 원칙, 부자 습관을 일러줄 것이고, 과거에 저질렀던 실수와 그 실수에서 어떤 교훈을 얻었는지 까지도 아낌없이 가르쳐줄 게다. 네가 그들이 저질렀던 실수를 반복하지 않기를 바라기 때문이지. 이렇게 네 직장 멘토는 네가 성공으로 가는 길을 매끄럽게 닦아줄 게다. 바위와 구덩이를 치워주고, 우회로를 없애주겠지. 부모를 제외하면, 직장 멘토가 성공으로 가는 가장 빠른 길을 알려줄 수 있단다.

만약 직장에 멘토로 삼을 만한 사람이 없다면? 멘토를 찾을 수 있는 다른 방법이 있단다. 먼저, 인맥을 쌓는 모임에 가입하는 방법이 있다. 이런 모임에서는 다양한 분야에 종사하는 새로운 사람을 많이 만날 수 있단다. 시간이 흐르면서 친분이 생기면 멘토로 적합한 뛰어난 사람을 찾을 수 있을 게다.

비영리 단체나 시민 단체에서 자원봉사 활동을 하는 것도 멘토를 찾을 수 있는 좋은 방법이란다. 많은 부자와 성공한 사람들은 다양한 비영리 단체에서 이사를 역임하고 있거나, 비영리 단체의 위원회에서 활동을 하고 있다. 이와 같은 비영리단체에서 만난 사람을 멘토로 삼을 수도 있다. 조합에 가입하는 것 역시 같은 분야에 종사하고 있는 사람들 중에서 멘토를 찾을 수 있는 좋은 방법이다. 조합 활동에 참여함으로써 여러 잠재적 멘토 후보를 만나볼 수 있지."

책

"데일 카네기, 얼 나이팅게일, 오그 만디노 같은 자기계발서 분야의 유명 저술가 덕에 성공할 수 있었다고 말하는 이들이 많다. 저술가가 인생의 멘토 역할을 한 셈이지. 글을 통해 무엇을 해야 하고, 무엇을 하면 안 되는지 가르쳐줌으로써, 목표를 달성할 수 있도록 도와준 것이다. 멘토로 삼기에 가장 좋은 도서는 자기계발서나 성공한 사람들의 자서전이다. 네게 준 가방에 들어 있던 책이 바로 그런 책들이다. 한 권 한 권이 너의 멘토라고 생각하고 읽어라."

실패의 경험

"실제 경험을 통해 부자 습관을 배운다면 사실상 너 자신이 스스로의 멘토가 되는 셈이다. 스스로 깨우치는 것이지. 자신의 실수와 실패에서 스스로 배우는 것이다. 물론 어려운 길임에는 틀림없다. 실수와 실패에는 보통 시간과 비용이 대가로 따르기 때문이다."

12

부와 빈곤의 이데올로기

"부와 빈곤을 둘러싼 두 가지 관점이 있다. 하나는 스스로가 피해자라고 믿는 사고방식이고, 다른 하나는 개인의 책임을 믿는 사고방식이다."

피해자 이데올로기

"스스로가 피해자라고 믿는 사람들은 가난을 어찌할 수 없는 일이라 여긴다. 본인을 상황의 희생자라 생각한다. 개개인의 책임, 행동, 습관은 무관하다. 그저 인생에 물을 먹은 거다. 스스로 어찌할 수 없는 상황이 빈곤을 불러왔다. 가난한 집이나 결손 가정에서 태어났을 수도 있고, 안 좋은 동네에서 자랐을 수도 있다. 임금이 낮은 직종을 택했거나, 그저 무작위적 불운의 희생자일 뿐인지도 모른다. 이와 같은 사고방식이 일리가 있는 까닭은 극소수에게만 해당하는 일말의 진실이 담겨있기 때문이다. 장애나 질병 같은 특정 조건은 무작위로 불리하게 작용한다. 안타깝게도 피해자 관점을 견지하는 이들은 이와 같은 예외를 기반으로 추론하여 이를 빈곤 전체에 대입한다.

하지만 현실에서 빈곤은 대부분 스스로 초래한 것이다. 피해자 이데올로기를 수용하는 사람들은 가난한 사람들은 선하고, 부자들은 악하다고 믿는다. 이런 관점은 성공과 번영을 추구하는 모든 개인을 무조건적으로 공격하는 것이나 다름없다. 이런 사고방식은 가난한 이들에게 피해자로서의 지위와 의존성을 부여하며, 가난한 이들의 기회를 제한한다. 더 심각한 문제는 이런 관점이 실제로는 아무 도움이 되지 않는다는 점이다. 개인에게 상황에 대한 책임이 없음을 합리화하여 오히려 빈곤을 심화시킨다.

매일 스스로 발전을 거듭하지 않으면, 상황을 개선할

수 없고, 가난에서 벗어날 수 없다. 성공할 수 있다고 믿지 않으면, 상황을 개선할 수 없고, 가난에서 벗어날 수 없다. 피해자 이데올로기에 넘어가지 마라. 피해자 이데올로기를 극구 밀어붙이는 사람들은 뭘 잘 모르거나 사람들을 계속 가난하게 만들려는 의도를 가지고 있는 것이다. 안타깝게도 가난한 환경에서 태어난 많은 이들이 스스로를 피해자라고 생각해서 빈곤을 떨쳐내지 못한다. 더 심각한 문제는 학교나 직장에서 멘토를 만나는 행운을 누리는 극소수를 제외하면 후대에까지 낙담과 불행과 빈곤의 삶을 물려주게 된다는 점이다. 이렇게 해서 빈곤의 악순환이 대물림된다."

개인의 책임이란 관점

"이 관점을 견지하는 사람들은 부와 빈곤이 개인의 행동, 선택, 습관의 부산물이라 믿는다. 열심히 노력하고, 평생 자기계발에 힘쓰고, 살면서 현명한 선택을 하고, 좋은 습관을 형성한다. 그러면 상황을 바꿀 수 있고, 빈곤에서 벗어날 수 있다고 믿는다. 개인의 책임을 믿는 이들은 매일 더 잘 살기 위해 노력하면, 상황이 행운을 불러오고 부가 뒤따른다고 생각한다. 이 관점으로 보면, 더 잘 살기 위해 노력하지 않으면, 상황이 불운을 불러오고, 빈곤이 뒤따른다는 논리가 성립한다. 이 이데올로기 하에서 개인은 피해자가 아니다. 개인에게는 빈곤한 삶을 바꿀 능력이 있다. 개인은 무한한 부와 성공을 거머쥘 수 있다. 부자와 성공한 사람들은 모두 개인의 책임을 믿는다."

13

뉴욕

저지 쇼어 저택에서 주말을 보내고 돌아가는 부모님과 여동생들을 배웅했다. 할아버지와 함께 현관에서 차가 떠나는 모습을 지켜보았다. 할아버지는 내 마음이 가라앉는 걸 느꼈음에 틀림없다.

"친구들은 언제 오냐?"

"다섯 시쯤이요. 이제 한 시간 정도 남았네요."

"신나는 한 주가 될 게다."

"이번 주에는 뭘 할 건데요?"

금세 표정이 밝아진 채로 참지 못하고 질문했다.

"뉴욕을 여행할 게다. 미드타운에 있는 호텔을 예약

해두었다. 아침이 밝자마자 떠나자꾸나. 전세 버스가 7시면 집 앞에 와 있을 테니."

버스를 대절해서 뉴욕으로 가다니! 우리는 기대에 들떴다. 할아버지는 센트럴파크 맞은편에 있는 플라자호텔의 커다란 스위트룸을 예약해 두셨다. 호텔에 9시에 도착해서 짐을 풀고 아침을 먹은 뒤, 길을 건너 센트럴파크로 갔다. 공원 바깥에는 마차가 즐비해 있었다. 우리 일행은 두 대를 빌려 타고 공원 둘레를 구경했다. 센트럴파크 하면 빼 놓을 수 없는 것이 바로 이 마차다. 마치 영국 버킹엄 궁전에서 뚝 떼어 온 것처럼 기품이 넘쳤다. 말들은 아름다우면서도 강인해 보였다.

뉴욕의 아침은 아름다웠다. 햇살이 밝았고, 사람들이 아주 많았다. 기념품, 책, 온갖 음식을 파는 좌판이 늘어서 있었다. 마차를 타고 공원을 한 바퀴 도는 데 한 시간 정도가 걸렸다. 마부는 때때로 마차를 멈추곤 큰 바위 같은 것들을 가리키며 설명을 했다. 만 년 전 빙하기에 그 바위가 어떻게 형성되었는지 가르쳐줬다. 대륙 빙하가 움직이면서 지하 깊은 곳에서부터 바위를 밀어 올렸다고 한다. 뉴욕의 지반이 어떻게 형성되었는지도 알려주었는데, 10억 년 전에 두 개의 초대륙이 충돌하여 합쳐지면서 견고한 기반암이 형성됐고, 덕분에 건축업자들이 오늘날과 같은 크고 높은 마천루를 지을 수 있는 것이라고 했다.

마차로 공원 주변을 돌고 나서 자전거를 타고 내부를 구경했다. 가이드의 안내에 따라 마차로는 진입할 수 없는 공원 구석구석을 누비고 돌아다녔다. 가이드는 공원의 역사를 가르쳐줬다. 센트럴파크는 1800년대 중반에 2만 명에 달하는 아일랜드 이주노동자가 지은 미국 최초의 공공 공원이다. 할아버지가 사진을 찍어 주겠다고 해서 중간 중간 멈췄다. 우리가 바위에 오르는 모습 같은 걸 찍었다. 자전거로 공원을 돌아본 뒤 센트럴파크 동물원에 갔다가 컨서버토리 가든을 산책했다. 할아버지는 컨서버토리 가든이 프랑스식, 이탈리아식, 영국식 정원으로 나뉜다고 했다. 밴더빌트 게이트라고 하는 커다란 입구를 통과해서 이탈리아식으로 꾸며진 탁 트인 공간으로 향했다. 넓은 잔디밭이 야생 능금나무로 감싸인 넝쿨 울타리로 둘러싸여 있었다. 커다란 분수도 넝쿨 울타리로 둘러싸여 있었는데, 넝쿨 울타리를 따라가다

보면 퍼걸러가 나왔다. 퍼걸러는 그리스 역사책에 나오는 격자 구조물처럼 생겼다.

우린 센트럴파크 안에 위치한 '태번온더그린'이란 유명 레스토랑에서 점심식사를 했다. 할아버지가 레스토랑 주인과 잘 아는 사이라 거기에서 점심을 먹게 됐다. 마치 왕족처럼 극진한 대접을 받았다. 점심 식사 후 할아버지는 우리를 공원의 보트하우스로 데려갔다. 보트를 몇 대 빌려 노를 저어 가며 공원을 구경하는 내내 우린 서로에게 물을 튀겼다. 엄청 재미있었다. 보트를 타고 나선 너무 지쳐서 호텔로 돌아가 스위트룸 거실에 모여 대형 텔레비전으로 영화를 봤다. 텔레비전으로 VCR 영화를 보기는 난생 처음이었다. 친구들도 연신 감탄했다. 몇몇은 텔레비전 앞의 대형 소파에서 스르륵 잠이 들었다. 굉장한 하루였다.

그날 밤 할아버지는 우리를 지미 웨스턴스라고 하는 유명한 바로 데려갔다. 술을 마시고, 밥을 먹으면서 스포츠 경기를 시청할 수 있는 곳이었다. 바에는 케이블 TV라는 것이 있었는데, TV마다 각기 다른 스포츠 경기가 나오고 있었다. 중앙에는 어마어마하게 커다란 무비

스크린이 있었다. 화면에서는 로베르토 듀란과 슈거 레이 레너드의 복싱 경기가 반복 재생되고 있었다.

둘째 날 할아버지는 택시를 몇 대 불러 우리를 다운타운에 있는 사우스 스트리트 시포트라고 하는 곳으로 데려갔다. 강으로 돌출된 탁 트인 선착장으로 걸어갔다. 헬리콥터가 이착륙을 반복하고 있었다. 누군가가 할아버지에게 다가와, 우리를 커다란 헬리콥터 한 대 앞으로 데려가더니, 헬리콥터에 타라고 말했다. 친구들은 열광했지만 나는 겁에 질리고 말았다. 할아버지는 내 오른편 의자에 앉아 '걱정할 것 없다. 내가 바로 여기 있잖니.'하고 달래는 듯 날 바라봤다. 우리는 헬리콥터 날개가 회전하면서 나는 소음을 차단하기 위해 헤드셋을 써야 했다. 불과 몇 분이 채 지나지 않아 난 상공에 높이 떠 있다는 사실을 잊고 경치를 감상하기 시작했다. 한 시간 반 정도 헬리콥터를 탔는데, 마치 몇 분도 되지 않은 것 같았다. 즐거워서 시간 가는 줄 몰랐다.

그것으로 끝이 아니었다. 강가를 따라 죽 걸어서, 스태튼 아일랜드 페리 선착장을 지나, 배터리 파크로 갔다. 배터리 파크에서 엘리스 아일랜드로 가는 페리를 탔다. 1800년대 중반에 아일랜드와 이탈리아에서 많은 이민자들이 유입된 곳이었다.

엘리스 아일랜드를 들른 후, 페리는 자유의 여신상으로 향했다. 프랑스가 미국에 자유의 여신상을 선물했다는 사실을 알게 되었다. 우리는 자유의 여신상 꼭대기까지 좁은 계단을 타고 올라갔다. 스태튼 아일랜드, 뉴저지, 허드슨 강 저 멀리까지 훤히 보였다. 꼭대기에 올라가자 덜컥 겁이 났다. 할아버지가 내 불안을 감지하고, 팔을 둘러 품으로 끌어들였다. 조금 지나자 진정이 되었다.

자유의 여신상에서 페리를 타고 돌아온 뒤 우리는 다시 스태튼 아일랜드 페리 선착장으로 걸어가서, 허드슨 강을 따라 왕복하는 페리를 탔다. 할아버지가 1800년대 중반까지 거슬러 올라가는 스태튼 아일랜드 페리의 역사에 대해 설명해주는 동안 우리는 페리에서 산핫도그와 소다를 먹었다. '코닐리어스 밴더빌트'라고 하는 스태튼 아일랜드 출신의 부유한 사업가가 페리를 운영했었다고 한다. 우리는 페리에서 내려 배가 정박하는 모습을 구경했다. 할아버지는 그런 우리를 부지런히 찍었다. 저녁 시간이 돼서야 호텔로 돌아왔다. 할아버지가 룸서비스를 시켜 영화를 보면서 저녁을 먹으면 좋겠다고 해서 그렇게 했다.

셋째 날 할아버지는 우리를 엠파이어스테이트 빌딩으로 데려갔다. 마지막에는 전망대로 올라갔다. 문득 '계속 높은 곳이네.'하는 생각이 들었다. 할아버지가 의도적으로 날 계속 높은 곳으로 데려오는 것 같았다. 전망대 가장자리로 망원경들이 배치돼 있었다. 망원경으로 보면 모든 게 커다래 보였다. 우리는 각자 차지한 망원경이 가장 좋은 망원경이라며 서로 겨뤘다. 엄청 재미있었다. 엠파이어스테이트 빌딩 다음으로는 록펠러 플라자였다. 록펠러 플라자를 거닐며 주변을 감상했다.

다음으로는 세인트 패트릭 대성당으로 향했다. 성당 안의 아름다운 스테인드글라스에 감탄을 금할 수 없었다. 우리 중 누구도 이보다 더 큰 성당을 본 적이 없었다.

다음은 자연사 박물관이었다. 별로 박물관을 좋아하지는 않았는데, 자연사 박물관에서 만큼은 온갖 진귀한 볼거리에 눈을 뺏겼다. 영장류 관에는 실물 크기의 고릴라와 인간의 진화를 보여주는 전시물이 있었다. 화석

관에서는 공룡 뼈를 볼 수 있었다. 플라네타륨도 있었고, 세계에서 가장 큰 운석을 전시해 놓은 곳도 있었다. 즐기면서 많은 걸 배울 수 있었던 날이었다.

넷째 날에는 코니아일랜드에서 원 없이 놀이기구를 탔다. 다 같이 관람차도 탔다. 태어나서 본 중에 가장 큰 것이었다. 또 다시 허공으로 높이 올라가게 됐다. 할아버지가 곁에 앉아 내 어깨에 팔을 둘렀다. 그 다음으로는 아쿠아리움을 구경했다. 그 날 하루가 저물 무렵 우린 모두 기진맥진했고, 할아버지마저도 피곤해했다.

다섯째 날 귀가했다. 아침에 버스가 호텔 앞에 대기하고 있었다. 횡하니 돌아온 우리는 저택의 발코니에 둘러앉아서, 뉴욕에서 보냈던 이번 한 주에 대해 신이 나서 떠들었다. 우리에게 있어 할아버지는 신이나 다름없었다.

14

부자 습관

누구나 부자 습관에 대해 알고 있다. 할아버지의 책은
전 세계적으로 선풍적 인기를 끌었다. 무려 30개 언어
로 번역되어, J.C. 잡스란 이름을 모르는 이가 없게 됐
다. 이번 수업이 이번 여름에 배우는 것들 중에 가장 중
요한 내용일 것이란 걸 본능적으로 깨달았다. 할아버지
는 한 주 내내 부자가 되는 습관과 가난해지는 습관에
대해 알려 주셨다.

"생활 습관에 따라 부자가 되는지, 가난해지는지, 중산
층이 되는지가 결정된다. 우리가 매일 하는 행동의 40%
는 습관이다. 즉, 40%에 달하는 시간 동안 우리는 자동

항법 모드로 작동하는 셈이지. 가난해지는 습관보다 부자가 되는 습관을 더 많이 지니고 있다면, 행복하게 살게될 것이다. 부자 습관보다 가난해지는 습관이 더 많다면, 삶이 힘들어지겠지. 재정적 어려움은 스트레스를 불러와서 우리를 불행하게 만든다. 우리의 모든 습관은 대뇌 기저핵에 저장된다. 기저핵은 두뇌 한가운데 위치한 골프공 크기의 조직 덩어리다. 습관은 뇌의 부하를 줄인다. 습관을 처리하는 데는 별로 힘이 들지 않지. 습관이 형성되어 기저핵에 저장되면, 두뇌의 다른 부분은 습관과 관련된 결정을 내리는 데 전혀 관여하지 않는다.

생활 습관은 둘로 나뉜다. 첫째는, 일상적 생활 습관이고, 둘째는 핵심 생활 습관이다.

'일상적 생활 습관'은 간단하고, 기초적이고, 단독적이다. 기상 시간, 출근길, 포크를 쥐는 법이 여기에 속한다. '핵심 생활 습관'은 아주 특별하다. 다른 생활 습관에 영향을 끼친다. 핵심 생활 습관은 마치 스캐빈저 같다. 먹잇감을 찾으러 돌아다니면서, 자기보다 약한 일상적 생활 습관을 잡아먹는다. 핵심 습관에 반하는 생활 습관을 제거하기도 하지. 예를 들어주마.

23kg 정도 과체중인데 새해에 살을 빼겠다는 결심을 했다고 치자. 이 때 달리기를 좋아하는 친한 친구 한 명이 살을 빼는 가장 좋은 방법은 달리는 것이라고 말했다. 그래서 조깅을 시작하기로 결심한다. 참고로 조깅은 부자 습관이란다. 조깅하는 게 싫지만 한 달 정도 계속 조깅을 해서 5kg 정도를 감량했다. 어느 날 저녁 모임에 갔는데 누군가가 살이 빠지니 훨씬 보기 좋다고 말했다. 그날 밤 집으로 돌아가 행복감을 느끼면서 의욕에 불타오르겠지. 마치 하늘을 날아다니는 것 같고, 뭐든지 할 수 있을 것 같을 게다. 다음 날부터 정크 푸드를 끊고 과식을 하지 않겠다고 결심한다. 참고로 이 둘은 빈자의 습관이다. 체중을 더 감량하기 위해 조깅 시간을 늘리고. 조깅을 더 하기 위해 담배도 줄이겠지. 흡연 역시 빈자의 습관이다. 담배를 피우면 호흡기에 좋지 않고, 더 빨리 더 멀리까지 달릴 수 없다는 것을 알게 된다. 조깅이란 핵심 생활 습관 하나를 도입했을 뿐인데 정크 푸드, 과식, 흡연이란 세 가지 일상적 생활 습관을 제거할 수 있게 된다. 이 때문에 핵심 습관이 그토록 특별한 것이란다. 핵심 습관은 빈곤 습관을 바꾸는 촉매제로 작용

한단다.

전문가들은 어떻게 습관을 바꿀 수 있는지, 습관을 바꾸는 데 얼마나 걸리는지, 심지어는 습관을 없앤다는 게 가능한지를 두고 논쟁을 벌인단다. 난 일부러 부자 습관을 핵심 습관화해서 효과를 높인다. 한 가지 부자 습관을 실천함으로써 두세 가지 빈곤 습관을 없앨수 있다. 그저 부자 습관을 한 가지 늘리기만 하면 빈곤습관이 거짓말처럼 사라지기 시작한다. 이것이 바로 부자 습관의 힘이다. 부자 습관은 너의 '감정'을 활용하니, '의지'가 필요 없다. 몇 가지 부자 습관을 일상에 더하는 것만으로 빈곤 습관을 갉아먹게 되어, 시소가 성공의 방향으로 기울게 되지.

앞으로 알려줄 열 가지 부자 습관이 너를 행복하고 성공적인 삶으로 이끌어 줄 것이다. 지금부터 하나씩 알려주마."

좋은 생활 습관을 형성하고, 매일같이 지킨다.

"첫 번째 부자 습관이 가장 중요하다. 이를 기반으로 다른 모든 부자 습관이 형성되기 때문이다. 이 첫 번째 부자 습관을 일컬어 자기 평가 습관이라 한다. 자기 평가 습관을 들이기 위해선 먼저 네가 가진 모든 나쁜 습관을 목록으로 작성한 뒤, 이것을 좋은 습관으로 치환해야 한다. 이를테면 하루에 한 시간 이상 기분전환 삼아 TV를 보는 것은 나쁜 습관이다. 이것을 좋은 습관으로 바꾸기 위해서는 재미로 TV 보는 시간을 하루에 한 시간 이하로 제한해야 한다. 이런 식으로 각각의 나쁜 습관을 모두 좋은 습관으로 바꿔야 한다."

할아버지는 말을 멈추고 가만히 나를 바라봤다.

"나쁜 습관을 열 가지 나열한 뒤 각각을 좋은 습관으로 바꾸는 게 오늘 숙제다. 할 수 있겠지?"

"당연하죠."

"역사적으로 가장 위대한 인물들은 부단히 스스로를 평가하고 발전시켰다. 벤자민 프랭클린과 조지 워싱턴은 자기 자신의 결점이나 나쁜 습관을 없애기 위해 스스로 좋은 행동에 대한 지침을 만들기도 했다. 벤자민 프랭클린의 경우 '인격 완성을 위한 13가지 덕목'을 만들었다. 열두 살에 이 목록을 완성한 뒤 남은 생애 동안 그 덕목을 지키며 살아가기 위해 노력했지. 조지 워싱턴은 '예의바르고 품위 있게 행동하는 법칙'을 만들었다. 조지 워싱턴도 10대 때 이 목록을 작성했다. 이 둘이 막대한 성공을 거두었다는 것이 과연 우연이겠느냐? 난 그렇게 생각하지 않는다."

부자 습관 ❷

일별, 월별, 연도별, 장기적 목표를 세운다. 매일 목표에만 집중한다.

"성공한 사람들은 일별, 월별, 연도별, 장기적 목표를 세운다. 성공한 사람들은 소망과 목표를 구분할 줄 알지. 이건 중요한 주제이니 하루 날을 잡아 자세히 알려주마."

부자 습관 ❸

매일 자기계발에 힘쓴다.

"성공한 사람들은 적어도 하루 30분을 자기계발을 위한 독서에 할애한다. 책이나 기사나 뉴스레터를 읽거나 듣는다. 경력에 도움이 될 만한 것들을 공부한다. 세미나를 들으러 가고, 강연에 참석하고, 야간 학교에서 수업을 듣는다. 자기 분야와 관련된 도서를 쓰거나 강연을 한다. 이것은 두 번째로 중요한 부자 습관인데, 여기에 대해서도 나중에 더 자세히 알려주마."

부자 습관 ❹

매일 일정 시간을 투자해 건강을 관리한다.

"성공한 사람들은 건강하다. 주 4회 하루 30분 이상 유산소 운동을 하고, 하루 권장 칼로리를 지킨다. 하루 권장 칼로리라 함은 현재의 체중을 유지한다고 할 때 하루 동안 소비되는 칼로리를 가리킨다. 남성의 경우 하루 평균 2,000~2,600 칼로리이고, 여성의 경우 1,500~2,100 칼로리이다. 여기에 대해서도 나중에 더 자세히 알려주마."

부자 습관 ❺

매일 일정 시간을 할애해 평생 인연을 만든다.

"성공한 사람들은 매일 인간관계를 관리한다. 긴밀한 관계는 성공의 화폐이다. '안부 인사 전화', '생일 축하 전화', '대소사 축하나 위안 전화'를 걸어 관계를 다진다. 여기에 대해서는 다른 날 더 얘기하마."

항상 중도를 지킨다.

"성공한 사람들은 매일 절제하며 살아간다. 알맞게 먹고, 알맞게 쓰고, 알맞게 일하고, 알맞게 논다. 분수에 맞는 집에 살고, 분수에 맞는 차를 탄다. 명품 옷이나 특급 레스토랑은 멀리 한다."

오늘 할 일을 내일로 미루지 않는다.

"성공한 사람들은 매일 해야 할 일을 목록으로 작성해서 70~80% 이상을 완수한다. 할 일을 미루는 건 빈곤 습관이다. 하루 시간을 내어 더 자세히 알려주마."

항상 부자의 사고방식을 유지한다.

"성공한 사람들은 항상 부자 사고방식을 유지한다. 긍정적이고, 낙관적이며, 목표 달성에만 집중한다. 이 역시 매우 중요한 부자 습관이다. 여기에 대해서도 따로 날을 잡아 자세히 알려주마."

소득의 10~20%를 저축한다.

"성공한 사람들은 소득의 최소 10~20%를 저축하고 나머지 80~90%로 살아간다. 80:20 규칙에 대해서는 이미 얘기한 바 있으니 다시 거론하지 않으마."

매일 생각과 감정을 컨트롤한다.

"성공한 사람들은 매일 생각과 감정을 컨트롤한다. 여기에 대해서도 나중에 더 자세히 다루마."

난 브렌던을 바라보며 말을 이었다.

"그 해 여름을 통틀어 가장 긴 수업이었단다. 전부 배우는 데 며칠이 걸렸지. 네 증조할아버지는 그 수업이 그 해 여름에 배우는 모든 내용의 핵심이라고 하셨단다. 그 여름 이래로 『부자 습관』 책을 못해도 수십 번은 읽었단다. 노트 뒤표지 속주머니 좀 볼래?"

브렌던은 노트를 맨 뒷장까지 휘리릭 넘겨서 책을 찾아냈다.

책을 획획 넘겨보더니 "금방 읽겠네요." 한다.

"그렇지? 가독성을 높이려고 일부러 짧게 쓰셨다더구나. 3시간이면 전부 다 읽을 수 있단다. 노트르담에서 집으로 돌아가는 길에 읽어볼래?"

브렌던은 고개를 끄덕였다. 노트르담까지는 절반쯤 남았다. 노트에 얽힌 얘기 덕에 시간이 쏜살같이 지나갔다.

"다음 수업은 '빈곤 습관'이란 거네요?"

"응 그랬지. 빈곤 습관에 대해 얘기해볼까?"

15

빈곤 습관

할아버지는 여름 내내 인과율이 부와 빈곤을 좌우한다고 했다.

"부자 습관은 원인이고, 성공은 그 결과다. 빈곤 습관은 원인이고, 빈곤은 그 결과다. 살면서 무엇을 해야 하는지 아는 것도 중요하지만 무엇을 하지 말아야 하는지 아는 것도 그만큼 중요하다. 부자 습관에 대해서만 아는 것은 반만 아는 것이다. 지금부터는 인생의 발목을 잡는 빈곤 습관에 대해서도 알아보자꾸나.

- 하루에 한 시간 이상 TV를 본다.
- 정크 푸드를 하루에 300 칼로리 이상 섭취한다.
- 밤에 맥주나 와인이나 양주를 두 잔 이상 마신다.
- 일주일에 4일, 하루 30분 이상 유산소 운동을 하지 않는다.
- 필요에 의한 관계밖에 없다. 같이 놀러 나가기 위해서나 문제가 생겼을 때 도움을 청하기 위해서 말고는 친구들에게 연락하지 않는다. 그저 안부 인사나 하려고, 생일 축하를 하려고, 삶에서 중대한 일이 생겼을 때 위로나 축하를 하려고 전화하지 않는다. 즉, 같이 어울려 놀 때나 무언가가 필요할 때가 아니면 거의 없는 셈 친다.
- 할 일을 미루는 게 습관이 되어 있다. 매일 해야 할 일의 목록을 작성하지 않는다. 작성한다 해도 달성률이 70%에 못 미친다.
- 지금보다 더 나은 경력을 위해 시간을 투자하지 않는다. 교육적 자료, 자기계발서, 직무 관련 자료를 하루에 최소 30분도 읽지 않는다.
- 인맥을 넓히거나 봉사활동을 하는 데 한 달에 최소 5시간도 투자하지 않는다.
- 간신히 최소한의 일만 한다. '이건 내 일이 아니야' 신드롬에 빠져 있다.
- 말을 너무 많이 하고, 충분히 듣지 않는다. 5:1 규칙을 위배한다. 5:1 규칙에 대해서는 이따 알려주마.

- 자주 실언을 하고 부적절한 말을 한다. 생각을 거르지 않고 입 밖에 낸다. 마음속에 있는 말을 모두 내뱉는다.
- 다른 사람의 감정을 상하게 하면서까지 서슴없이 말한다.
- 인간관계에 시간과 돈을 투자하는 데 인색하다.
- 돈을 쓰기만 하지 모으지 않는다. 매달 순소득의 10~ 20%를 저축하지 않는다. 다시 말해 80:20 규칙을 지키지 않는다.
- 버는 것보다 많이 쓰고, 빚에 허덕인다.
- 생각과 감정을 매일 컨트롤하지 않는다. 너무 자주 이성을 잃고 타인을 경시한다. 다른 사람들을 질투한다. 빈자의 감정에 대해서는 나중에 더 자세히 알려주마.
- 소망을 목표와 착각한다. 목표에는 구체적이고 실천적인 행동이 따라야 한다. 실천적 행동이 수반되지 않는 목표는 소망일뿐이며, 소망은 실현되지 않는다. 목표에 대해서는 조만간 따로 수업을 해 주마."

"그렇지만 할아버지는 담배도 피우고 맥주도 마시잖아요." 호기심에 말이 나왔다.

할아버지는 '이 녀석 좀 보게' 하는 표정으로 바라봤지만 나는 굽히지 않았다.

"그건 빈곤 습관 아닌가요?"

"네 말이 맞다. 빈곤 습관이지."

할아버지는 망설이며 수긍했다.

"풍요로운 삶을 위해 남겨두고 있지. 포기할 가치가 없는 빈곤 습관도 있단다."

할아버지는 잠시 말을 멈추고 부서지는 파도 위 수평선을 바라봤다.

"여섯 번째 부자 습관 기억하냐?"

당연히 아직 못 외웠다.

"항상 중도를 지킬 것. 담배를 피우고, 맥주를 마시기는 한다만, 절제한다. 하루에 담배 한 개비, 한 시간에 맥주 두 잔. 이게 바로 빈곤 습관에 대해 내가 고수하는 규칙이다. 하루에 담배를 한 개비 이상 피우면 몸이 버티지 못할 것이란 걸 잘 의식하고 있다. 술자리가 생겼을 때 한 시간에 맥주를 두 잔 이상 마시면 술에 취하게 될 것임도 잘 알고 있다. 술에 취하면 건강에도 해롭지만 실수로 후회할만한 말을 내뱉을 우려도 있지. 무엇이든 과하면 좋지 않은 법이다. 하물며 운동 같은 좋은 습관도 그렇다. 그래서 뭐든 적당히 하는 게 그토록 중요한 거란다. 절제를 통해 부자 습관과 빈곤 습관의 균형을 맞출 수 있다."

보드워크에서의 수업은 여기까지였다. 보드워크의 계단을 타고 내려와 오후 운동을 위해 집으로 향했다.

16

부단한 자기계발

"부자들은 매일 자기를 계발하는 데 있어서만큼은 가히 광신적이다. 지식이 기회를 만들고, 기회가 기회 운을 만든다는 점을 잘 알고 있기 때문이다. 그래서 성공한 사람들은 기회를 포착하기 위해 끊임없이 지식을 쌓는다.

어디에서나 꼭 필요한 귀중한 사람이 되기 위해, 성공한 사람들이 사용하는 네 가지 자기계발 전략을 알아보자."

독 서

"부자들은 매일 하루 30분 이상 자기계발을 위해 독서를 한다. 한 달에 최소 두세 권 이상의 비문학 도서를 읽지. 출퇴근길이나, 조깅할 때나, 잔디를 깎을 때나, 빨래를 돌릴 때나, 아령을 들 때나, 청소를 할 때나, 세차를 할 때나, 울타리를 손볼 때 오디오북을 듣는다. 잡지, 정보소식지, 신문 기사를 읽는다. 부자들이 읽는 책, 잡지 기사, 정보소식지, 신문 기사는 교육적이거나, 자기계발에 도움이 되거나, 직무 연관성이 있거나, 성공한 사람들의 자전적 이야기를 다룬 것이다. 돈을 더 많이 벌고, 성공에 필요한 지식을 얻는데 소설은 크게 도움이 되지 않기 때문에 실용서적에 집중한다. 지식 기반을 넓힘으로써 부와 성공을 불러오는 기회를 발굴할 수 있다. 회사나 고객이나 거래처에 더 가치 있는 사람이 되니 성공의 사다리를 오르는 데에도 도움이 된다.

부자들은 이를 닦듯 하루도 빠짐없이 독서를 한다."

글쓰기

"성공한 사람들은 사보, 업계 소식지, 신문 기사, 업계 출판물, 저서 등 다양한 방식으로 글을 쓴다. 글을 쓰면 업계에서 주목을 받는 데 도움이 된다. 글쓰기는 소통의 한 형태다. 글을 쓸 때는 독서할 때보다 주제에 대해 더 빠삭하게 알고 있어야 한다. 그래야 글을 통해 다른 사람에게 해당 주제에 대해 설명할 수 있다. 글을 쓰면 전문가로 인정받는다. 회사나 고객이나 거래처에 더 가치 있는 사람이 된다."

연 설

"연설은 글쓰기와 마찬가지로 소통의 한 형태다. 연설을 할 때는 글을 쓰거나 읽을 때보다 주제에 대해 더 훤히 알고 있어야 한다. 연설은 양방향 소통 과정이다. 연설 중에 질문을 받을 수도 있다. 말하는 주제에 관해서 '전문가'가 되려면 해당 주제에 대해 낱낱이 꿰고 있어야 한다. 독서와 글쓰기만으로는 부족하므로 상세한 연구가 필요하다. 깊이 파고들어 지식 기반을 확장하면 청중의 눈에 더 전문적으로 보일 수 있다. 이 때 청중이 동급생이나 회사 동료나 상사나 고객이나 클라이언트가 될 수도 있다.

지금 당장 연설하는 법을 배워라. 당장 시작해라. 학교에서 발표가 필요한 수업에 참여해라. 토스트마스터에 가입하라. 퍼블릭 스피킹 수업을 들어라. 학생회장에 출마해라. 봉사활동 단체에 가입해라. 행사에서 연설을 맡아라. 자꾸 연습하다보면 아주 잘 하게 된다. 연설에 대해 아무도 말해주지 않는 진실이 하나 있다. 단 한 번만 제대로 연설을 해내고 나면 이후부터는 자연스럽게 훌륭한 연사로 거듭난다. 마치 마법처럼. '탁' 하고 머릿속에 있는 조명 스위치가 켜진 것처럼. 연설은 많이 할수록 는다. 좋은 연사가 되려면 다음 네 가지를 명심해라.

1. 꾸미지 말고 있는 그대로 하라.
2. 주제에 대해 제대로 알고 있어라.
3. 열정을 가지고 소통하라.
4. 청중을 바라보라. 청중을 바라볼 때 코트를 가르는 테니스공을 보듯 시선을 고루 분산하라. 때로는 한 명씩 시선을 맞추어라. 이렇게 하면 청중을 휘어잡을 수 있다.

가장 부유하고 가장 크게 성공한 이들은 모두 매우 뛰어난 연사들이다. 사람들 앞에서 말하는 법을 배우고 나면 극적으로 자신감이 높아진다."

반 복

"한 분야에 대해 완벽히 알려면 반복만큼 좋은 방법이 없다. 어떤 분야를 완벽에 가깝게 이해하는데 독서, 글쓰기, 연설보다 반복이 더 효과적이다. 반복을 거듭할 때마다 효율성과 전문성이 높아진다. 반복을 하다보면 특정 업무나 주제의 대가가 된다. 완전히 체화되어 이전에 말했던 대뇌 기저핵에 저장된다.

네 가지 자기 계발 전략을 모두 활용하는 사람들은 비교할 수 없을 만큼 커다란 성공을 거둔다. 그러나 매일 단 한 가지에 집중하는 것만으로도 상당한 성공을 거머쥘 수 있다. 그렇다고 오해는 금물이다. 매일 자기계발을 실천하기란 말처럼 쉽지 않다. 그러나 매일 실천하기만 하면, 부산물로 기회가 주어지지. 모두의 눈 바로 앞에 존재하며 활용되기를 기다리고 있지만 누구나 발견하지는 못하는 바로 그 기회들 말이다."

할아버지는 이번에도 어김없이 예를 들었다.

"네 가지 전략을 어떻게 활용하는지에 대해 이보다 더 잘 설명할 수 있는 예시가 또 없다. 나무에 둘러싸여 있다고 상상해봐라. 나무는 기회에 대한 은유이다. 은유가 뭔지 아냐?"

몰라서, 모른다고 고개를 저었다.

"은유는 상징과 같다. 뭔가를 나타낸다. 트로피는 승리의 상징이다. 따라서 트로피는 승리를 나타내는 은유라 할 수 있다. 나무 옆으로 언덕이 있다고 하자. 언덕은 매일 같은 자기계발의 은유다. 언덕을 높이 오를수록, 즉, 더욱더 자기계발에 힘쓸수록, 자신이 숲에 둘러싸여 있었다는 걸 깨닫게 된다. 즉, 나무가 아니라 숲을 보게 된다. 이 숲이 바로 기회다. 언덕을 올라갈수록, 즉, 매일 자기계발에 힘쓸수록, 인생에서 더 많은 기회를 보게 된다. 인생에서 더 많은 기회를 발견하고 이 기회를 움켜쥐는 이들은, 더 많은 돈을 벌고 더 큰 성공을 거두게 된다."

할아버지는 평소답지 않게 몹시 상기되어 있었다. 할아버지가 그토록 들뜬 모습은 처음 보았다. 복습을 마치고 할아버지께 왜 이렇게 기분이 좋으시냐고 물어봤더니, 부자 습관에 대해 아무것도 모를 때 독서란 자기계발 전략을 우연히 발견했기 때문이라고 했다. 할아버지가 우연히 알게 된 부자 습관으로는 독서가 유일했다. 독서란 단 한 가지 부자 습관만으로도 장장 스물 두 시간이 걸리는 공인회계사 시험에 합격할 수 있었고, 석사 학위를 딸 수 있었고, 온갖 전문 면허를 취득할 수 있었다. 무엇보다 중요한 건, 단 한 가지 부자 습관만으로도 빈곤을 떨치고 일어날 힘을 얻을 수 있었다는 것이다. 할아버지는 젊었을 때 늘 스스로가 명청하며, 성공하는 데 필요한 지능을 가지고 있지 않다고 믿었다고 했다. 평생을 가난하게 살 수밖에 없다고 생각했다고. 그러나 단 한 가지 부자 습관 덕에 빈곤에서 벗어날 수 있었고, 빈자의 사고방식에서 헤어날 수 있었다. 몇 년 뒤 부자 습관에 대한 연구를 마치고 나서야 자기계발이라고 하는 단 한 가지 부자 습관이 인생에서 성공을 달성하는 데 얼마나 중요한 역할을 하는지 깨달았다고 했다. 연구를 위해 인터뷰했던 모든 부자들의 공통분모가 바로 '쉼 없는 자기계발 습관'이었다는 것이다.

17

부자의 몸가짐

　여름이 벌써 반이나 지나갔다. 너무나 많은 걸 배웠다. 테니스 실력은 일취월장했다. 할아버지와 치열한 접전을 벌일 수 있을 정도가 되었다. 한 세트에 네 게임을 따온 적도 있었다. 농구공을 보지 않고도 양손으로 드리블을 할 수 있게 되었다. 스트라이크를 던지고, 공을 능숙하게 처리하고, 본능적으로 배트로 공을 칠 수 있게 되었다. 수많은 또래 친구들이 아무리 노력해도 쌓기 어려워하는 기초가 내게는 일상이 되었다. 단지 습관에 지나지 않게 되었다.

　보드워크로 가려고 현관을 나서면서 할아버지는 오

늘 주제는 내용이 길어서 하루 수업만으로 다 가르쳐줄 수 있을지 잘 모르겠다고 했다.

"빠르게 진행할 테니 집중해서 들어야 한다. 중요한 내용이 아주 많다."

할아버지는 안경을 바로 쓰면서 수업을 시작했다.

"사람들과 함께 있을 때 어떻게 행동해야 하고, 특정 행동을 어떤 방식으로 해야 하는지에 대해 잘 알고 있어야 한다. 부자들은 상황에 맞는 몸가짐과 예절을 기가 막히게 잘 알고 있단다."

대화

"살면서 많은 사람들을 만나게 될 게다. 모든 사람들에게는 한 가지 공통점이 있다. 자기밖에 모른다는 것이다. 대화를 하면서도 오로지 자기 자신에 대해서만 생각한다. 모두가 세상에서 자기가 가장 중요하다고 생각한다. 자기밖에 모르는 것이 인간의 본성이다. 이러한 본성은 어디서나 드러나는데 다른 사람들과 대화할 때도 마찬가지다. 매우 중요한 이야기이니 잘 기억해둬라.

데일 카네기의 『인간관계론』에도 나와 있다. 오늘 수

업이 끝나면 그 책을 다시 한 번 읽어봐라. 새로운 사람과 만나면 어떻게 해야 할지에 대한 준비가 되어 있어야 한다. 그렇게 해야 모든 인연을 금맥보다 더 귀중한 인맥으로 바꿀 수 있다. 이를 위해선 먼저 상대방에 대해 잘 알고 있어야 하고, 상대방에 대해 잘 알기 위해선 그 사람이 어떻게 살았는지 물어봐야 한다. 스스로를 내세우려는 인간의 본성을 내려놓고, 항상 상대방에게 집중하라. 처음 만나는 사람에게 어떤 질문을 해야 할지 지금부터 알려줄 테니, 이를 명심해서 앞으로는 나보다 상대에게 집중하며 대화하는 부자 습관을 길러라."

할아버지는 친분을 쌓고 싶은 사람을 만나면 어떤 질문을 해야 하는지 줄줄 읊었다.

- 이름, 주소, 전화번호 등과 같은 기본적인 정보
- 결혼 여부
- 기혼이라면, 배우자 이름은 무엇인가?
- 자녀가 있는가?
- 자녀가 있다면, 아이의 이름이 무엇인가?
- 아이의 생일이 언제인가?
- 어디에 사는가? 사는 곳은 마음에 드는가?

- 취미가 있는가?
- 어느 학교를 다녔는가? 대학이나 대학원을 나왔는가?
- 배우자와 자녀는 어느 학교에 다녔는가?
- 가장 자랑스러워하는 것이 무엇인가?
- 아는 사람 중에 유명 인사나 중요한 인물이 있는가? 있다면 누구인가?
- 직업이 무엇인가?
- 배우자의 직업은 무엇인가?
- 독서를 좋아하는가? 좋아한다면, 어떤 책을 좋아하는가? 어떤 작가를 가장 좋아하는가?
- 음악을 좋아하는가? 어떤 밴드나 가수를 가장 좋아하는가?
- 배우자나 자녀가 일을 한다면, 어떤 일을 하고, 어디에서 일을 하는가?
- 정치적 성향
- 종교
- 지금 집 바로 전에는 어디에 살았었는가?
- 스포츠를 좋아하는가? 그렇다면, 언제, 어떤 스포츠를 했는가? 지금도 경기에서 뛰는가?
- 술을 마시는가? 마신다면, 어떤 술을 마시는가?
- 가장 좋아하는 음식은 무엇인가?

- 어떤 차를 타는가?
- 목표가 무엇인가?
- 모임이나 비영리단체나 지역공동체 기관에 소속되어 있는가?
- 즐겨 가는 휴가지가 있는가?
- 여행을 다니는가? 지금까지 어디어디에 가보았는가?
- 부모님의 직업은 무엇이었는가?
- 어디에서 자랐는가?
- 어떤 유명 인사를 가장 좋아하는가?
- 어떤 면허나 자격증을 가지고 있는가?
- 무엇을 정말로 잘하는가?
- 운동을 하는가? 한다면, 어떤 운동을 하는가?

마지막 당부는 항상 상대의 눈을 보며 이야기하고, 많이 웃으라는 것이었다.

식사 예절

"못 믿겠지만 대부분의 사람들이 식사 예절을 잘 모른다. 살면서 여러 모임에 참석하게 될 게다. 그러니 식사 예절에 대해 반드시 잘 알아둬야 한다. 지금부터 하나씩 알려주마."

- 착석 후에는 식탁에 있는 냅킨을 집어서 무릎 위에 펴라.
- 모든 사람 앞에 음식이 놓일 때까지 식사를 시작하지 말고 기다려라.
- 입을 벌리고 음식을 씹지 마라.
- 음식을 씹으면서 말하지 마라.
- 모두가 함께 사용하는 소스에 먹던 음식을 담그지 마라.
- 허겁지겁 먹지 마라. 다른 사람들이 먹는 속도에 맞추어라.
- 숟가락, 포크, 나이프를 주먹으로 쥐지 마라. 식사 도구를 쥐는 방법이 다 따로 있다. 이따 시범을 보여주마.
- 손에 식사 도구를 들고 손동작을 하지 마라.
- 소금이나 후추에 손을 뻗지 마라. 그 근처에 있는 사람에게 건네 달라고 정중히 부탁하라.
- 구부정하게 앉지 마라. 자세를 바르게 하라.
- 식사가 끝나면 양해를 구하고 화장실에 가서 이 사이에 음식이 끼지는 않았는지 확인하라. 이를 위해 나는 항상 지갑에 이쑤시개를 넣어 다닌다.

복장

"어떻게 입어야 하는지도 잘 알아둬라. 출근할 때나 면접을 볼 때 입어야 하는 옷이 따로 있다. 결혼식, 공식 만찬, 비공식 만찬, 약혼식, 조문, 장례식, 생일 파티, 피크닉 같은 온갖 행사에 가야할 일이 많을 게다. 경우에 따라 어떤 옷을 입어야 하는지 반드시 알아둬야 한다. 기본적으로는 이렇게 하면 된다."

- 출근 및 면접 복장 : 건설, 도로 공사, 전기 기사처럼 정해진 복장을 입어야 하는 직업이 있다. 사무실에서 일한다면 상사가 입은 것처럼 입어라. 남자의 경우 사내 분위기에 따라 비즈니스 캐주얼이 허용되는 경우도 있고, 양복에 넥타이를 매야 하는 경우도 있다. 여성의 경우 오픈칼라 셔츠에 슬랙스나 스커트를 입으면 된다. 힐은 신어도 되고 신지 않아도 상관없다.

- 결혼식, 조문, 장례식 : 대체로 남자는 양복에 넥타이를 매면 된다. 여성의 경우 출근할 때처럼 입으면 되지만, 대부분은 보다 더 격식 있는 차림을 한다. 드레스코드에 대해 사전에 반드시 물어봐라. 문화에 따라 결혼식에 입어야 하는 옷이 정해져 있는 경우도 있다. 이런 경우 반드시 미리 알아둬야 한다.

- 공식 만찬 : 공식 만찬이라 하면 보통 블랙 타이, 즉, 양복과 넥타이 혹은 턱시도와 나비넥타이 중에 고를 수 있다. 둘 중에 무엇을 선택하든 어두운 색 구두를 신어야 하고. 화이트 타이인 경우도 있는데, 이 때 남성은 하얀 윙 칼라 셔츠에 검은 연미복을 입고 하얀 나비넥타이를 착용하고 검은 구두를 신어야 한다. 여성의 경우 롱드레스나 칵테일드레스나 정장 스커트와 탑을 힐에 매치하면 된다. 화이트 타이 행사는 매우 드물다.

자기소개

"살면서 새로운 사람을 만날 기회가 많을 게다. 성공하면 할수록 새로운 사람을 더 많이 만나게 되지. 이러한 만남은 나중에 크게 도움이 될 만한 귀중한 인연을 만들 수 있는 좋은 기회가 된다. 그 중 누군가는 미래에 너의 고용주가 될 수도 있고, 배우자가 될 수도 있고, 두 번째로 친한 친구가 되거나, 직장동료가 되거나, 두 번째 멘토가 되거나, 투자자나 비즈니스 파트너가 될 수도 있지. 자기소개를 할 때 지켜야 할 다섯 가지 기본 규칙을 알려주마."

1. 미소를 지어라.
2. 힘차게 악수해라.
3. 눈을 맞춰라.
4. 네가 누구인지, 여기 왜 왔는지, 행사 참석자 중에서 누구와 친분이 있는지 밝혀라.
5. 상대방에 대해 물어봐라. 여기에 대해서는 이미 다루었으니 넘어가도록 하마.

예의와 태도

"네 부모가 귀에 딱지가 앉도록 얘기했겠지만 그래도 한 번만 더 얘기하마. 공적인 자리에서 반드시 지켜야 할 기본적인 매너가 있단다. 네가 이걸 습관으로 만들었으면 좋겠구나."

1. 존경을 담아서 모든 사람을 대하라.
2. 몸에 걸친 것을 보고 그 사람을 판단하지 마라.
3. '잘 부탁드립니다(please)'와 '고맙습니다(thank you)'란 말을 아끼지 마라.
4. 절대로 비판하거나, 불평하거나, 따지고 나무라지 마라.

네 의견과 다르다 할지라도 다른 사람이 말을 할 때 비웃거나, 눈을 굴리거나, 인상을 찌푸리지 마라.

5. 절대로 허세를 부리지 마라.

6. 칭찬거리를 찾아내라.

7. 절대로 이성을 잃지 마라.

8. 절대로 술에 취하지 마라.

9. 늘 긍정적인 태도를 유지하고, 절대로 부정적인 태도를 보이지 마라.

10. 모임에서 알게 된 사람들에게 너의 배우자, 친구, 동료를 소개하라.

"에티켓에 관한 작은 책자를 줄 테니 아침 먹고 나서 읽어봐라. 읽으면서 내가 미처 다 설명해주지 못한 부분은 노트에 보충해서 적어두도록 하고."

집에 돌아와 할아버지가 아침을 만들어 줬다. 난 할아버지 말을 노트에 받아 적었다. 아침을 다 먹은 뒤엔 방으로 올라가서 할아버지가 시킨 대로 했다. 데일 카네기의 책을 훑어보고, 할아버지가 준 에티켓 책자를 읽으면서, 빠진 내용을 노트에 덧붙였다. 몇 시간이나 걸려 모두 끝마치고 난 뒤엔 침대에 곯아 떨어졌다. 정오

즈음 부엌에서 나는 달그락 소리에 잠에서 깨어났다. 할아버지가 도대체 뭘 하시는 건지 보러 내려왔다.

"저녁 식사를 준비하고 있다."

내가 부엌으로 들어서는 걸 알아채곤 어깨 너머로 말씀하셨다.

할아버지는 "나는 곰손입니다"라고 적혀있는 앞치마를 매고 있었다. 아버지는 할아버지를 두고, 어마어마한 부와 명성에도 불구하고 그렇게 겸손하고, 현실에 단단히 발을 붙이고 있는 사람은 많지 않다고 했다. 할아버지는 사람들을 웃게 만들고, 기분 좋게 만드는 걸 좋아했다. 그런 까닭에 할아버지가 그토록 많은 이들에게 사랑을 받은 것인지도 모른다. 아버지 말로는 할아버지가 강연 때문에 중국에 자주 방문했다고 하는데, 귀국 후 몇 주 동안은 도자기 찻주전자, 루둥(Rudong)이란 곳에서 온 건면, 마오쩌둥 배지 같은 크고 작은 선물들이 끊임없이 도착했다고 한다. 중국에서 만화 사업을 하는 어떤 사람은 할아버지가 했던 유명한 말, 재담, 교훈을 담아 모든 페이지를 할아버지로 채운 만화책을 특별히 제작해서 보내주기도 했다고 한다.

할아버지가 10인 상차림을 담은 그림 한 장을 건네줬다.

"그림을 보고 저녁상을 차려보려무나. 필요한 건 전부 저 수납장에 들어 있다."

할아버지는 다이닝룸에 있는 커다란 수납장을 가리켰다.

그림에 있는 대로 식탁을 차린 뒤 부엌으로 갔다.

"다 했냐?"

"네."

자신 있게 대답했다.

"뭐가 잘못됐는지 한 번 볼까?"

한쪽 입 꼬리만 올려서 의미심장하게 웃으며 말씀하셨다.

할아버지는 식탁을 보자마자 크게 웃음을 터뜨렸다. 너무 심하게 웃어서 심장마비가 오지는 않을까 걱정될 정도였다.

"내가 알기로 이 집에는 우리 둘 밖에 없는데?"

웃으며 겨우겨우 말을 이었다.

식탁에 열 명 분이 차려져 있었기 때문이다.

"그림대로 했는데요?"

할아버지는 그림을 보곤 고개를 끄덕이더니 손으로 이

마를 감싸 쥐었다. 그러더니 웃음을 갈무리하며 말했다.

"네 말이 맞다. 내 탓이다. 청출어람이란 말이 딱 맞구나. 네 덕에 제대로 된 의사소통의 중요성을 배웠다. 우리 둘 다 앞으로 명심해두자꾸나."

상을 다시 차린 뒤 운동을 하러 나갔다. 운동을 하고 돌아와서 할아버지가 저녁을 차리는 걸 도왔다. 음식을 식탁으로 날랐다.

"지금부터 역할극을 해볼까 한다. 결혼식에 와 있다고 가정해보자. 우리는 오늘 처음 만난 게다. 어쩌다 이렇게 식탁에 마주보고 앉게 된 거지. 전혀 모르는 나란 사람에 대해 한 번 알아보려무나. 에티켓을 제대로 배웠는지 한 번 보자."

저녁을 먹으면서 오늘 처음 보는 낯선 사람이라 치고 할아버지의 인생에 대해, 가족에 대해, 직업에 대해 질문했다. 포크를 잘못 고르거나, 음식을 씹으면서 말을 하거나, 눈을 제대로 쳐다보지 않고 말을 하는 식으로 실수를 할 때마다 할아버지는 상황을 잠시 멈췄다. 모든 걸 제대로 할 때까지 역할극을 반복한 결과 저녁 식사 시간이 엄청 길어졌다.

18

5:1 규칙

보드워크로 가려고 현관을 나서면서 할아버지는 오늘 수업은 이번 여름에 배우는 내용 중 가장 짧은 편이라고 했다. 하지만 짧다고 해서 중요하지 않은 것은 아니라고 했다.

"대부분의 사람들은 듣지 않는다. 다른 사람이 말을 하고 있는 와중에도 어떤 말을 하고 싶은지 생각하느라 바쁘다. 귀가 두 개이고 입이 하나인 데는 이유가 있다. 진심을 다해 다른 사람의 말을 들어줘야 굳건하고 가치있는 관계를 형성할 수 있다. 모든 사람은 언제나 자기 자신에 대해서만 생각한다. 성공한 사람들은 인간이라면 누구나 가지고 있는 이런 약점을 잘 의식하고 있다. 상대방의 이야기를 귀 기울여 들어주면 그 사람은 중요하고 가치 있는 사람이 된 것처럼 느끼게 된다. 중요하고 가치 있는 사람으로 대우받고 있다고 느끼면 이야기를 들어주는 사람에게 호감을 느낀다. 그 사람과 더 많은 시간을 함께 보내고 싶어 하게 된다. 누구나 중요하고 가치 있는 사람으로 대접받고 싶어 한다. 다른 사람의 말을 잘 들어주는 사람, 스스로가 더 나은 사람인 것처럼 느끼게 해 주는 사람에게는 사람들이 거머리처럼 달라붙는다. 그런 사람에게는 친구도 더 많고, 진정한 관계도 더 많으며, 인맥도 더 넓다.

5:1 규칙이란 건 사실 매우 간단하다. 말하는 데 1분을 썼다면, 듣는 데는 5분을 쓰는 것이다. 말하기 보단 들어라. 말하는 걸 듣다보면 그 사람에 대해 더 많은 걸 알 수 있다. 어떤 사람인지, 어떤 문제가 있는지, 무엇을 원하고, 바라고, 필요로 하는지 속속들이 알게 된다. 이런 면에서 데일 카네기의 『인간관계론』은 매우 중요한 책이다. 이 책을 통해 사람이 어떤 행동을 하는 데는 어떤 연원이 있는지 이해할 수 있다. 스스로를 내세우

기보다는 다른 사람을 더 높여줘야 한다. 성공한 사람들은 다른 사람을 대할 때 그 사람이 세상에서 가장 중요한 사람인 것처럼 느끼게 한다. 이것을 습관으로 들이면, 사람들을 사로잡을 수 있다. 그들은 네게 가장 큰 조력자가 되어줄 것이다. 기꺼이 위험을 무릅쓰고 너의 목표 달성을 도와줄 것이다. 본인의 주변 사람들까지 끌어들여서 네가 원하는 걸 이룰 수 있도록 앞장서서 도와줄 것이다. 너를 위해 산을 오를 것이다. 네가 해야 할 일은 그저 질문을 하고 귀 기울여 듣는 일뿐이다."

19

목표 해부

보드워크 근처에서 할아버지는 종이 한 장을 건네주면서 읽어보라고 했다. 존 F. 케네디의 그 유명한 달 탐사 계획 선언 연설이었다.

"첫째, 인간의 달 착륙과 무사 귀환이란 목표를 이번 60년대 내에 달성하기 위해 온 나라가 힘을 모아야 합니다. 근 10년 내에 장거리 우주 탐사보다 인류에게 더 중요하고, 의미 있는 우주 계획은 없을 것입니다. 이보다 더 달성하기 어렵고, 비용이 많이 드는 우주 계획도 없을 것입니다. 따라서 이와 같은 목표 달성에 적합한 달 탐사 우주선 개발을 가속화할 것을 촉구합니다. 이제까지 중에서 가장 크고, 성능이 좋은 액체 및 고체 연료 병용 부스터 개발을 가속화할 것을 촉구합니다. 엔진 개발과 무인 탐사에도 더 많은 기금을 지원하기를 촉구합니다. 우리 모두가 결코 간과할 수 없는 한 가지 목적, 즉, 달에 첫발을 내딛을 우주 비행사의 생존을 보장하기 위해 반드시 필요하기 때문입니다. 우리가 달에 인간을 보내기로 결정한다면, 그 한 사람만 달에 가는 것이 아닙니다. 국민 모두가 함께 가는 것입니다. 그러므로 인류를 달로 보내기 위해 모두 다 함께 힘을 모아야합니다."

할아버지는 양쪽으로 두 팔을 벌리며 선언하듯 말했다.

"큰 꿈이었지. 그거야말로 큰 꿈이었어.

목표로 뒷받침되는 꿈은 명료해진다. 목표가 있으면 중요한 것에 집중할 수 있다. 목표가 있으면 꿈을 달성하는 데 집중할 수 있다. 목표가 있으면 삶에서 달성하고자 하는 것이 무엇인지를 명확히 알 수 있다. 목표는 마치 돋보기와 같다. 돋보기로 햇빛을 모으듯이 목표는 우리의 활동을 한 점으로 집중시킨다. 무엇을 원하는지 명확히 알게 되면 시간을 잡아먹는 활동을 하지 않게 된다. 무엇을 원하는지 정확히 알게 되면 무엇 때문에 시간이 낭비되는지 훤히 알 수 있다. 시간을 잡아먹는 활동이라 함은 목표나 꿈을 실현하는 데 아무 도움이 안 되는 활동들을 가리킨다. 전에 이야기했던 80:20 규칙을 목표 설정에도 적용할 수 있다. 연구에 따르면 우리가 하는 모든 활동 중 80%는 시간을 잡아먹고, 오직 20%만이 목표와 꿈을 실현하는 데 도움이 된다. 목표를 분명하게 수립해야 어떤 활동이 목표 달성이 도움이 되고, 어떤 활동은 도움이 되지 않는지 판단할 수 있다. 시간이 지남에 따라 80%에 달하는 시간을 낭비하게 하는 활동을 그만둘 수 있게 될 것이다. 목표에 가까이 다가가는데 별 도움이 되지 않는 활동을 하고 있다면 시간을 낭비하고 있는 것이다.

목표가 무엇이든 간에 목표 달성에 꼭 필요한 일을 하면 목표를 이룰 수 있다. 너무나 많은 이들이 목표 달성에 실패한다. 목표 달성에 매번 실패하는 이들은 아예 목표 설정마저 포기해버린다. 스스로 실망해서 그만두거나, 목표 설정 단계에서부터 자신감을 잃어버린다. 왜 그렇게 많은 사람들이 목표 달성에 실패할까? 목표라고 생각하지만 사실은 목표가 아닌 것을 목표로 세우기 때문이다. 이런 건 목표 수립이라기보다는 소원을 비는 행위에 가깝다. 소원은 목표가 아니다. 소원과 목표는 다음 두 가지 측면에서 서로 구별된다.

1. 실천
2. 100% 달성 가능성

실천적 행동과 확실성이 없기 때문에 소원을 소원이라 하는 것이다. 목표를 성취하기 위해선 실천적 행동이 필요하고, 꼭 필요한 활동을 할 수 있다는 데 추호도 의심의 여지가 없을 때만 목표가 진정으로 목표다워진다.

보통 사람들은 그 해에 소득으로 얼마를 벌 것인지 같은 걸 목표로 정한다. 이 액수 자체를 '목표'라 부르기도 하지. 몇 달 지나지 않아 실제 소득이 목표치에 턱도 없이 모자라리란 걸 깨닫게 된다. 보통은 그 해 중반쯤일 게다. 그 때쯤 대부분은 좌절감에 목표를 포기한다. 목표를 잃어버리면 무능감과 실패감이 들고 직업윤리에 태만하게 되고, 초점을 잃게 된다. 너무나 안타까운 일이지 않으냐. 목표 달성 실패는 직업윤리나 몰입이나 유능함과는 거의 무관한데 말이다. 사실은 소망을 목표라 착각한 탓일 뿐인데 말이다. 실천적 행동이 수반될 때만 목표를 목표라 할 수 있다. 행동을 정의하는 것이 곧 목표를 정의하는 것이다.

이제부터는 무엇이 목표를 목표답게 하는지 낱낱이 파헤쳐 보자꾸나. 목표의 해부학적 구조는 아티초크(국화과 다년생 식물)의 구조와 비슷하다. 아티초크 꽃봉오리는 소망, 아티초크 이파리는 변수, 아티초크 하트는 목표, 즉, 꼭 필요한 행동을 상징한다. 아티초크 하트를 얻으려면 이파리를 벗겨내야 한다. 소망 안에 있는 목표를 찾아내는 일 역시 이와 다르지 않다.

소망이란 아티초크의 하트, 즉, 목표를 이루는 데 꼭 필요한 행동을 찾아내기 위해선 소망이란 아티초크의 이파리를 벗겨내야 한다. 꼭 필요한 행동을 찾아냈다면, 목표를 갖게 된 셈이다. 남은 문제는 꼭 필요한 행동을 수행할 능력이 있는지 여부다."

할아버지는 목표 찾기 과정을 다음과 같이 요약했다.

소망 속의 목표를 찾는 과정은 총 네 단계로 구분된다.

1단계 : 소원 빌기

2단계 : 각각의 변수 정의하기

3단계 : 반드시 취해야 하는 조치 혹은 매일 해야 하는
        구체적인 활동 알아내기

4단계: 해당 목표가 100% 달성 가능한지 판단하기

"수년 전 막 부자 습관 연수세미나를 시작했을 무렵이었다. 연수 참가자였던 매우 성공한 보험설계사가 내게 다가오더니, 회사에서 생명보험 중개수수료를 매년 10만 달러씩 더 벌어들이기로 했는데 목표를 달성하는 데 3년 연속 실패했다고 털어놓더구나. 막 포기하려던 차에 지역 신문에서 광고를 보고 이 '목표 연수세미나'에 참석하기로 결심했다고 말이다. 그는 강의를 듣고 나서야 10만 달러란 목표는 목표가 아니라 소망이었단 걸 깨달았다고 했다. 아티초크 잎을 벗겨내 소망 속의 목표를 찾아내기 위해, 그 주에 그를 따로 만났다. 그리고 다음의 네 단계를 제시했다."

소원 빌기

소원은 '생명보험 중개수수료로 추가 10만 달러 벌기'이다.

각각의 변수 정의하기

생명보험 계약 체결 한 건 당 중개수수료 = 2천 달러

즉, 필요한 계약 체결 수 = 50건

한 건을 성사시키기 위해 고객을 만나야 하는 횟수 = 5회

즉, 필요한 미팅 횟수 = 250회

한 번 미팅을 잡기 위해 걸어야 하는 전화 수 = 10통

즉, 필요한 통화 수 = 2,500통

반드시 취해야 하는 조치 혹은 매일 해야 하는 구체적인 활동 알아내기

행동 = 하루에 전화 10통 걸기

해당 활동을 수행할 수 있는가?

잠재 고객에게 매일 하루에 전화를 10통씩 걸 수 있는가?

"보험설계사에게 잠재 고객 유치를 위해 하루에 추가로 전화를 10통씩 더 걸 수 있는지 물었다. 웃으면서 당연히 할 수 있다고 대답하더구나. 먼저, 개인정보 데이터베이스를 구매한 다음, 전화해서 할 말을 원고로 작성한 뒤, 잠재 고객에게 전화를 걸 직원을 채용해야겠더구나. 함께 계산을 해보니 데이터베이스 가격은 1천 달러 정도, 전화 걸 사람을 고용하는 데 드는 비용은 5천 달러였다. 총 투자 비용은 6천 달러와 고객을 만나 계약을 체결하는 시간과 노력이었지.

보험설계사는 목표를 달성했다. 실은 6개월 만에 목표를 돌파했지. 1년이 지난 뒤에는 목표를 초과해서 생명보험 중개수수료로 15만 달러를 더 벌어 들였다."

할아버지는 아직 할 말이 더 남은 표정으로 나를 보면서 요지를 간추렸다.

"소원을 목표로 바꾸는 과정은 일단 소원에서부터 시작해야 한다. 소원을 이루기 위해 100% 달성 가능한 행동 계획을 구체적으로 정의할 때 소원은 목표가 된다. 각 행동 단계가 목표가 된다. 이건 이쯤에서 정리하자."

다음 주제로 넘어갔다.

"성공한 사람들은 목표를 100% 달성하기 위해서 다음 다섯 단계로 구성된 목표 설정 과정을 거친다.

1. 장기적 소원 : 5년 내에 이루고 싶은 큰 꿈이 여기에 해당한다. 각 소원을 성취할 수 있도록 계획을 세우고, 이를 실현할 수 있도록 목표를 수립해라. 예를 들어, 5년 후에 집을 한 채 사고 싶다는 소원이 있다고 가정하자. 이를 이루기 위해선 5년 동안 매년 1만 2천 달러를 저축하겠다는 걸 목표로 세워야 한다. 매년 1만 2천 달러를 모으기 위해선 매달 1천 달러씩 저축하겠다는 걸 목표로 세워야 한다. 매달 1천 달러씩을 저축하기 위해선 지출을 줄여야 하고, 급여 지급 주기마다 250달러씩을 별도의 계좌에 넣어둬야 한다.

2. 내년 소원 : 내년에 이루고 싶은 소원이다. 장기적 목표 달성을 위한 과정이라 할 수 있다. 2년 후에 2만 4천 달러 모으기가 여기에 해당한다.

3. 올해 소원 : 내년 소원과 비슷하지만 기간이 더 짧다. 집을 사기 위해 올해 1만 2천 달러 모으기가 여기에 해당한다.

4. 월별 소원: 매달 1천 달러 저축하기가 여기에 해당한다.

5. 목표: 이 목표란 것은 실천을 기반으로 한다. 지출을 줄이고, 급여 지급 주기마다 250달러씩을 따로 모아두는 게 여기에 해당한다. 급여 지급 주기마다 250달러씩을 모으겠다는 목표를 이루기 위해선 행동을 변화시켜야 하고, 몇 가지 어려운 결정을 내려야 한다. 어떤 지출을 줄일 수 있는가? 매일 점심을 사 먹는가? 만약 집에서 만들어서 도시락을 싸 간다면 매일 일정 금액을 아낄 수 있다. 쿠폰을 모으는가? 쿠폰을 모으는 것 역시 돈을 절약하는 방법이 될 수 있다. 외식을 하는가? 외식 횟수를 줄이거나 주류 반입 가능 식당을 애용하라. 옷 사는 데 들어가는 지출을 줄이거나 기증품 소매상점에서 상태가 좋은 옷을 사 입어라. 내가 연구한 부자들이 쓴 방법이다. 마음만 먹으면 지출은 줄일 수 있다. 돈이 새는 곳을 잘 찾아내기만 하면 된다."

다음으로는 성공한 사람들이 목표 달성을 위해 사용하는 수단에 대해 알려줬다. 아침을 먹으면서 목표 선언문을 작성하고 비전 보드를 그리게 했다.

매일 목표 선언

"성공한 사람들은 매일 목표를 선언한다. 목표 선언문은 다음과 같은 형식을 취한다.

[실행 목표 + 현재 시제]

앞서 얘기했던 보험설계사를 예로 들면,

'나는 오늘 잠재고객에게 10번 전화를 한다.'가 되겠지."

비전 보드

"목표 선언문과 함께 비전 보드를 만들어라. 비전 보드라고 하는 것은 이루고자 하는 목표를 실제 사진으로 나타낸 것이다. 앞서 얘기했던 보험설계사의 경우 전화를 하고 있는 모습을 비전 보드에 넣을 수 있겠지. 실천 목표와 비전 보드가 직접적으로 연관돼 있어야 효과가 있다."

20
부자의 인간관계,
빈자의 인간관계

"딱 주변에 있는 사람들만큼만 부자가 될 수 있다. 부자는 부자들과 어울리고, 가난한 사람은 가난한 사람들과 어울린다. 가난에서 벗어나려면 만나는 사람을 바꿔야 한다. 주변 사람들을 떠올리면서 널 부자로 만들어 줄 인간관계인지 혹은 가난하게 만들 인간관계인지 파악해라.

부자 인간관계에는 다음과 같은 특징이 있다.

- 행복하다.
- 성공했다.

- 성공한 사람들과 어울린다.
- 발이 넓다. 아는 사람이 천명도 넘는다. 모임, 자원봉사를 통해 점점 더 관계를 발전시켜 나간다. 여기에 대해서는 더 자세히 다루마.
- 빈곤 습관보다 부자 습관을 더 많이 지니고 있다.
- 긍정적이고, 낙관적이고, 낙천적이다.
- 삶이 안정되어 있다.
- 여러 다양한 사람들과 교류한다.
- 험담을 하지 않는다.
- 목표와 꿈을 좇으라고 북돋워주고 동기를 부여해 준다.
- 매우 열정적이다.
- 상황 탓을 하지 않는다. 살면서 일어나는 일에 본인이 책임을 진다.

빈자 인간관계에는 다음과 같은 특징이 있다.

- 불행하다.
- 직장에서 어려움을 겪는다. 업무, 상사, 동료 때문에 시시때때로 사표를 던지고 싶어 한다.
- 부자 습관보다 빈곤 습관을 더 많이 가지고 있다.
- 부정적이고, 축 처져 있고, 비관적이다.

- 인생에 끊임없이 격랑이 몰아치는 듯하다. 항상 위기를 수습하느라 바쁘다.
- 언제나 가족, 친구, 동료들과 다툰다.
- 남의 험담을 한다.
- 남의 꿈을 짓밟는다.
- 열정이 없다.
- 자주 우울해하거나 슬픔에 잠겨 있다.
- '지지리 복도 없지'하고 생각한다. 상황에 책임지지 않는다. 늘 남 탓을 한다.

누구에게나 부자 인간관계와 빈자 인간관계가 있게 마련이다. 다만, 얼마나 많은 부자 인간관계와 빈자 인간관계를 지니고 있는지가 성공을 결정한다. 다시 시소를 떠올려봐라. 시소 위에 부자 인간관계와 빈자 인간관계를 올려놓고 저울질해봐라. 빈자 인간관계보다 부자 인간관계가 더 많아야 시소가 제대로 된 방향으로 기울 것이다. 시소가 바람직한 방향으로 기울게 하려면 다음과 같은 단계를 밟아야 한다.

모든 인간관계를 나열해라

연필과 노트를 꺼내서 첫 열에 주변 사람들의 이름을 모두 적어라.

2단계

영향력 있는 인간관계 판별하기

다음 열에는 그 사람과 일주일에 몇 시간이나 함께 시간을 보내는지 적어라. 일주일에 한 시간 이상 만나는 사람들은 영향력 있는 인간관계에 해당한다. 이들은 삶에 긍정적인 영향을 끼칠 수도 있고 부정적인 영향을 끼칠 수도 있다.

3단계

인간관계에 점수 매기기

셋째 열에 부자 인간관계인 경우 더하기 표시, 빈자 인간관계인 경우 빼기 표시를 해라.

시소 기울이기

더하기 표시와 빼기 표시를 마치고 나면, 빈자 인간관계
에 해당하는 사람들과 만나는 시간을 일주일에 한 시간
이하로 제한하고, 부자 인간관계에 해당하는 사람들과 만
나는 시간을 일주일에 한 시간 이상으로 늘려라.

부자 인간관계를 찾아 나서라

목록에 없는 사람들 중 부자 인간관계가 될 만한 사람들의
목록을 따로 작성해라. 원래 알던 사람이어도 괜찮고, 사적
으로 친분이 없는 사람이어도 괜찮다. 이들과 일주일에 한
시간 이상 함께 시간을 보낼 수 있는 방법을 찾아라.

인간관계를 나무라고 생각하라. 목표는 이 나무를 키우
는 것이다. 대화와 교류를 할 때마다 나무는 더 깊이 뿌리
내린다. 인생의 말년에 이 나무가 삼나무처럼 크게 자라
있기를 바라지 않으냐? 그토록 굳건하고 가치 있는 관계

를 형성하기 위해선 다음 네 가지 전략을 따라야 한다."

안부 전화

"네 주변 사람들이 어떻게 지내는지 잘 알아 두고 싶지 않으냐? 안부 전화 한 통이면 된다. 사람들에게 어떤 질문을 하면 좋을지는 이미 부자의 몸가짐 수업에서 다뤘으니 넘어가도록 하마."

생일 축하 전화

"모두에게 생일은 중요하다. 생일 축하를 통해 그 사람을 소중히 여기는 마음을 표현할 수 있다. 생일 축하 전화로 관계에 생명 유지 장치를 달 수 있다. 최소한 일 년에 한 번은 관계를 소생시킬 수 있다. 전화로 생일을 축하하면 이를 계기로 대화를 하면서 상대방의 소식을 접할 수 있다. 생일 축하 전화로 인간관계란 나무의 뿌리를 조금쯤 더 굳건히 할 수 있다. 항상 메모장을 들고 다니면서, 친하게 지내고 싶은 사람을 만날 때마다 생일을 물어본 뒤 메모장에 적어두어라. 추후에 이것을 리마인더 시스템에 옮겨두어라. 이렇게 하면 누군가의 생일을 잊고 넘어가지 않게 될 것이다. 이 부자 습관을 몇 년 동안 지킨 결과, 생일 축하 전화를 받은 사람들 중 5~10% 정도는 보답으로 내 생일에 전화를 되돌려주더구나. 생일 축하 전화가 오갈 정도가 되면 관계란 나무의 뿌리가 깊어져 더 이상 생명 유지 장치는 필요 없어진다."

중대사에 대한 축하나 위로 전화

"가족, 친구, 클라이언트, 고객, 환자, 직장 동료 등 네가 귀중하게 여기는 사람들의 삶에 중대한 일이 생겼을 때 하는 전화이다. 아이를 낳았거나, 졸업을 했거나, 승진을 했거나, 취업을 했거나, 상을 당했거나, 병에 걸렸거나 하는 일들 말이다. 이럴 때 하는 전화는 관계에 스테로이드를 주입하는 것이나 다름없다. 다른 어떤 관계 발전 전략보다 빠르고 깊게, 관계란 나무의 뿌리를 키울 수 있는 방법이다."

네트워킹

"인적 네트워크 형성은 성공에 필수적이다. 제대로 된 방식으로 사람들과 교류하면, 친구, 고객, 클라이언트, 성공 파트너를 얻을 수 있고, 이것이 더 큰 성공과 더 많은 부를 불러온다. 성공한 사람들은 네트워킹의 대가들이다. 부자들에게 인간관계는 금맥과 같다. 인맥은 성공의 화폐나 마찬가지다. 다음은 인맥 형성에 착수하기 위한 방법이다."

- 네트워킹 단체에 가입하라.
  비즈니스네트워크인터내셔널(Business Network International)이 가장 유명하다. 아니면 직접 모임을 창설해도 된다.

- 지역 사업체 이사회에 가입하라.
  거래처, 고객, 비즈니스 파트너, 지역 사업 공동체에 문의해서 자문 이사회가 있는지 물어봐라. 자문 이사회가 있다면 위원으로 참여해도 될지 물어봐라. 자문 이사회가 없다면 이사회 설립을 도와라.

- 시민 단체에 가입하라.
  라이온스클럽, 로터리클럽, 상공회의소, 옵티미스트인터내셔널 등 회원을 모집하는 기업 혹은 비기업 시민 단체가 많다. 이들은 서로 사업을 소개하기도 한다.

- 연사가 되어라.
  연설은 가장 효과적인 네트워킹 도구일 것이다. 연설 한 번으로 열 명, 스무 명, 백 명과 한 번에 관계를 쌓을 수 있기 때문이다. 많은 사람들이 청중 앞에서 이야기하는 걸 두려워하므로 연설을 하면 일반 대중과 구별되고 전문가로서도 인정받을 수 있다.

- 비영리단체 이사회나 위원회에 가입하라.

비영리단체는 지금까지 언급한 기관 중 가장 가치 있는 자원이 되어줄 것이다. 역량을 드러낼 수 있고, 장기적인 관계를 쌓을 수 있기 때문이다. 이사, 위원, 공급업체, 공여자, 수여자 등 사방에서 소개가 쏟아질 것이다. 비영리단체의 이사나 위원들은 대체로 넓고 굳건한 인간관계를 보유한 부유한 사람들이다. 비영리단체에 가입해서 활동하다보면 어느새 이들이 주소록을 열고 자신들의 귀중한 인맥을 소개해 줄 것이다.

- 글쓰기

글쓰기로 경쟁에서 우위를 점할 수 있다. 글을 무기로 고객, 클라이언트, 환자, 직장 동료, 비즈니스 파트너의 신뢰를 얻을 수 있다. 글을 써서 출판하면 수백, 수천 명의 독자에게 다가갈 수 있으므로 이 역시 효과적인 인맥 형성 도구가 된다. 글쓰기를 통해 역량을 함양할 수 있다. 자기 분야에 더욱 정통하게 되어 업계에서 더 큰 능력을 발휘할 수 있다. 능력이 향상되면 이전에는 그냥 지나쳤던 기회를 보고 느낄 수 있게 된다.

- 친목 도모

이따금 사람들에게 식사를 제안하거나 술을 한 잔 마시자고 하라. 사실 이와 같은 부담 없는 모임을 통해 사람들과 가장 수월하게 친해질 수 있다.

21

할아버지를 따라
백악관에 가다

　오후의 스포츠 수업은 테니스, 야구, 농구를 번갈아가
며 강도 높게 진행됐다. 농구를 하러 45분 거리의 뉴브
런즈윅 럿거스 체육관으로 가기도 했다. 현직 남자농구
팀 보조코치가 2시간 동안 온갖 훈련을 시켰다. 체육관
으로 갈 때마다 예외 없이 200번 자유투를 던진 뒤 곧
바로 어라운드더월드(역주: 농구 골대 주위에 아치형으로 5군
데 이상 지점을 정해서 한 지점 당 2번씩 슛) 훈련에 돌입했다.
코트 한쪽부터 반대쪽까지 전 지점에서 슛을 성공시켜
야 했다. 몇 주가 지나서야 한 번도 실수하지 않고 모든
슛을 성공시킬 수 있었다.

그날도 농구 수업을 마치고 나오는 길이었다. 물건을 챙기고 보조코치님께 인사를 하고 체육관에서 나왔다. 차로 가면서 할아버지가 내 몸에 팔을 두르더니 툭하니 말했다.

"내일은 일정에 변화가 있다. 강연을 할 일이 있어서 워싱턴DC에 가야겠다."

스테이션왜건의 트렁크를 열고 운동 가방을 차에 던져 넣었다.

"보통 여름엔 강연을 하지 않지만 올해에만 예외를 두기로 했다."

아버지는 할아버지가 세계적으로 유명한 강연자라고 했다. 전 대륙에서 강연을 했고, 심지어 남극의 아문센 스콧 기지에서도 강연을 한 적이 있다고 했다.

"이번 강연은 몇 시간 정도로 짧은 강연이다. 가는 김에 하루 정도는 명소를 돌아보고 관광을 할까한다. 빳빳하게 다림질한 셔츠와 바지가 필요할 게다. 좋은 구두도 하나 챙겨라. 워싱턴엔 RV를 타고 가자."

할아버지가 주문 제작한 레저용 차량에는 없는 게 없었다. 부엌, 샤워시설이 있는 화장실, 접이식 이층 침대, 침대로도 쓸 수 있는 커다란 윈저형 의자, 접이식 책상, 플라자 호텔에 있었던 것과 비슷한 20인치 텔레비전과 영화감상용 VCR. 할아버지는 2월에 시험 삼아 한 주 동안 RV에서만 지내봤다고 했다. 처음 친구들이 놀러왔을 때 RV를 타기는 했지만 짧은 거리였는데, 이번에는 RV를 타고 더 멀리 가는 것이다. 얼른 내일이 왔으면 좋겠다.

새벽 다섯 시쯤 출발했다. 5시간 거리인데 짧게 느껴졌다. 할아버지는 조수석 의자를 쫙 펴서 차량으로 이동하는 동안 눈을 붙일 수 있도록 해주었다. 10시쯤 워싱턴DC에 도착했다. 차가 커다란 하얀색 건물로 통하는 입구로 들어섰다.

"여기 설마 백악관이에요?"

할아버지는 창문을 내리더니 경비원에게 종이를 한 장 건넸다.

"잡스 씨, 오랜만에 뵙네요. 가족들 다 잘 지내시죠?"

"다들 잘 지낸다네, 케빈. 이번 여름은 이 녀석과 함께 보내고 있지."

백악관 쪽을 바라보며 반쯤 넋이 나간채로 경비원에게 인사했다.

"다들 잡스 씨를 기다리고 계십니다."

"케빈, 섭섭하게 왜 이러나. 그냥 J.C.라고 불러 달라니까."

경비원은 우리가 출입구를 통과하는 내내 웃으며 손을 흔들어줬다. 우리는 백악관 뒤편으로 들어갔다. 할아버지는 정확히 어디로 가면 되는지 잘 알고 있는 것 같았다. 할아버지는 건물에서 나온 어떤 여자 분에게 차 키를 넘겼다. 우린 건물 앞쪽으로 갔다. 다른 경비원이 나와서 우리를 커다란 방으로 안내해줬다. 내 또래 아이들로 방이 북적였고 몇몇 어른들도 보였다.

할아버지가 내 쪽으로 몸을 기울이며 말했다.

"모두 '키 아카데미' 학생들이란다. 대통령 손녀가 다니는 학교지."

방에 막 들어서려는 찰나 대통령과 영부인께서 한달음에 다가와 맞아주었다. 대통령은 할아버지를 반기며 두 팔을 벌려 꽉 안았고, 영부인은 인사로 할아버지의 뺨에 키스했다. 할아버지는 나를 두 분에게 소개했고, 두 분은 나와 악수를 나누었다.

"오늘 와줘서 정말 고맙소."

대통령이 말했다.

"그 유명한 J.C. 잡스를 볼 생각에 다들 들떠있답니다."

영부인은 할아버지의 오른팔을 두 손으로 꼭 붙잡고 눈을 반짝이며 연단으로 나아갔다. 난 그 뒤를 바짝 쫓아갔다.

이따금 쉬어가며 세 시간 동안 할아버지는 부자 습관, 빈곤 습관, 성공 시소, 기회 운, 불행 운 등 이번 여름에 내게 가르친 내용을 강의했다. 강연이 끝나고 대통령, 영부인, 대통령의 손녀, 학생 몇 명, 선생님 몇 분과 함께 점심을 먹었다. 기다란 테이블의 상석에 대통령이 자리했고, 그 바로 옆쪽으로 할아버지와 내가 앉았다. 대통령 손녀의 자리는 내 왼쪽이었다. 대통령 손녀는 나에게 J.C. 같은 분을 할아버지로 두면 어떠냐고 물었다. 나는 아침 수업, 오후의 스포츠 수업, 뉴욕 여행, 워싱턴으로 RV를 타고 온 이야기 등 이번 여름에 있었던 일을 다 얘기해줬다.

"정말로 부럽다. 나도 그런 여름을 보낼 수 있었으면 좋겠어!"

난 대통령 손녀에게 평소 생활, 취미, 생일을 물어봤다. 생일을 축하해 주고 싶으니 연락처를 줄 수 있겠냐고도 물었다. 흔쾌히 알려주는 것은 물론 내 연락처까지 물어봐 서로 연락처를 교환했다. 레이건 대통령의 손녀와는 그날 이후 지금까지도 종종 연락한다.

얘기를 나누고 있는 와중에 대통령이 말을 걸었다.

"그래서 J.C.가 이번 여름에 무엇을 가르쳐 주었지?"

대통령이 이번 여름에 대해 알고 있다는 데 적잖이 놀랐다. 내가 뭐라 말하기도 전에 다시 말을 하셨다.

"어떤 책을 읽으라고 하시던? 내가 한 번 맞춰볼까? 『인간관계론』, 『놓치고 싶지 않은 나의 꿈 나의 인생』, 『잠재의식의 힘』 맞지? 아차, 『부자 습관』도 빼놓을 수 없겠구나."

대통령과 할아버지 두 분 다 웃음을 터뜨렸다. 난 살짝 미소 지으며 고개를 끄덕였다.

"네 할아버지가 얼마나 많은 백만장자를 만들어냈는지 알고 있니?"

"아니요. 몇 명인가요?"

"전 세계의 수백만 명이란다."

점심 식사를 하면서 대통령은 부자 습관과 할아버지의 성공 전략에 대해 질문했고, 난 대통령께 일은 어떤지, 취미는 무엇인지, 스포츠를 하시는지 여쭸다. 할아버지에게 배운 대로 한 것이다.

점심을 먹고 나서 영부인이 할아버지와 내게 백악관을 구경시켜 주었다. 마지막은 대통령 집무실이었다. 집무실에는 양복을 갖춰 입은 매우 중요해 보이는 인물들이 대통령과 함께 있었다. 할아버지는 나중에 그들이 각각 대통령 수석 보좌관, 미네소타 상원의원, 샌디 웨일이란 뉴욕 출신 금융인이라 했다. 대통령은 우리에게 샌디웨일 회장을 소개했다. 샌디 웨일 회장은 내게 저축과 관련해 아는 것이 있는지 물었다. 나는 80:20 규칙, 저축과 투자의 차이점 등 할아버지에게서 배운 것을 몇 가지 말했다. 할아버지는 나중에 크게 칭찬하면서 내가 웨일 회장에게 얼마나 깊은 인상을 남겼는지 말해주셨다.

"아빠, 지금 은행 일 하시지 않나요?"

브렌던이 끼어들었다.

"응, 그렇지. 다 네 증조할아버지 덕분이란다. 네 증조할아버지는 워싱턴DC에 다녀온 이후 그 때 만났던 모든 이들에게 감사 편지를 써서 보내라고 말씀하셨단다. 웨일 회장이 답장을 보내주었고, 이후로도 연락을 하고 지냈지. 네 증조할아버지는 웨일 회장과 함께 제이미 다이먼이란 또 다른 분과 만나는 자리에 나를 데려가주기도 하셨는데, 대체로는 뉴욕에서 점심을 먹었지. 대학교에 다닐 적에 다이먼 회장 아래에서 인턴을 했고, 졸업 후에 정식으로 일을 하게 됐다. 관리 훈련 프로그램을 맡았지. 몇 년 후에 다이먼 회장과 웨일 회장의 사이가 나빠져서, 다이먼 회장이 회사를 떠났다. 다이먼 회장이 JP 모건의 신임 회장으로 부임했을 때 네 증조할아버지께 그 여름에 배운 부자 습관 그대로 나는 그에게 개인적으로 축하 편지를 보냈지. 다이먼 회장은 내 편지를 받은 뒤 며칠 후 전화를 걸어 일자리를 제안했고. 그렇게 해서 지금 내가 미국 내 금융서비스 부서를 운영하게 된 것이란다."

그날 밤 우리는 링컨 베드룸에 묵었다. 백악관에서 잠을 자게 될 줄이야! 믿을 수 없었다. 할아버지와 함께 침대에 누워 책을 읽다가 할아버지에게 물었다.

"어떻게 대통령을 알게 되셨어요?"

할아버지는 읽던 책을 무릎 위에 놓곤 크게 한 번 숨을 들이쉬었다.

"대통령이 되기 전 론은 부자 습관을 가르치는 강사였단다. 강사들 중에서도 최고였지. 그는 몇 년 동안 수천 명에게 부자 습관을 가르쳤다. 그 시절에 그와 막역한 사이가 되었다. 어느 날 선거 운동 본부장이 론의 수업을 듣게 되었다. 둘이 아주 잘 맞았고, 얼마 지나지 않아 론이 선거에 출마하더구나. 그렇게 해서 그는 캘리포니아 주지사가 되었고, 이후 대통령이 되었다. 백악관에는 꽤 자주 왔단다."

"엄마는 할아버지 사진이 대통령 집무실에 걸려있다고 했어요. 정말인가요?"

"맞다."

"맞다니요? 그냥 그걸로 끝이에요? 할아버지, 왜 할아버지 사진이 대통령 집무실에 걸려 있는데요?"

"얘야, 자랑을 하는 건 빈곤 습관이라 하지 않았느냐."

"지금 빈곤 습관이 문제예요? 알려주세요!"

"알았다. 내가 졌다. 말했듯 론은 최고의 부자 습관 강사 중 한 명이었다. 배우로는 처음으로 내 수업을 듣기도 했고. 그 무렵 우리 우정이 무르익었다. 론은 수완가였다. 론은 다른 배우들이 내 수업을 듣도록 했다. 그는 내 트레이닝 프로그램에 합류해서 서부로 사업을 확장하는 데 도움을 주기도 했는데, 그 와중에 정치에 눈을 떴다. 론이 주지사로 출마할 적에 나 역시 그의 선거를 도왔다. 연설문을 써주고 몇 가지 사안에 대해 조언을 했다. 정치인으로서 대표 공약이 필요하니 어떤 정책 사안이 중요하고, 어떤 사안은 별로 중요하지 않은지 방향을 잡아줬다. 론이 주지사로 당선된 이후에도 꾸준히 조언을 했다. 거의 매일 이야기를 나눴다. 대통령에 출마했을 때도 마찬가지였고. 당선되지 않았으면 어땠을까 생각하니 아찔하구나. 어쨌든 론은 나를 인생의 멘토로 생각하고, 모두에게 그 사실을 알리고 싶어한다. 그래서 집무실에 내 사진을 걸어둔 게다."

"우와, 할아버지, 엄청나네요."

"그러냐."

할아버지는 곧바로 말을 돌렸다.

"대통령이 너를 좋게 봤더구나."

"정말요?"

"그렇단다. 네 매너가 좋다고 했다. 네가 그이의 손녀
와 이야기하는 모습을 지켜본 것 같더구나. 네가 그 아
이에게 계속 질문을 했고, 그러면서 계속 눈을 맞추고
있었다고 하더구나. 애야, 이렇게 누가 언제 널 지켜볼
지 모르는 일이란다. 내가 네게 가르친 것들이 마치 오
랜 습관처럼 차차 네 몸에 밸 게다. 네가 너무나 자랑스
럽다. 오늘 정말 잘 했다. 너는 내가 그동안 내가 가르쳤
던 학생들 중에서도 아주 뛰어난 편이란다."

할아버지는 잠깐 말을 멈췄다.

"너와 함께 보내는 이번 여름이 정말로 좋구나."

미소를 짓곤 다시 책을 읽기 시작하셨다. 나도 할아버
지에게 미소로 화답하고 다시 책을 읽었다.

쉽게 잠을 이룰 수 없었다. 내가 세상에서 가장 운이
좋은 아이인 것만 같았다. 그날 있었던 일을 계속 되새
기다가 지쳐서 스르르 잠들었다. 할아버지도 쉬이 잠들
지 못한 것 같았다. 둘 다 늦잠을 자서 정오가 되어서야

움직이기 시작했기 때문이다. 할아버지는 내게 워싱턴 DC를 구경시켜줬다. 워싱턴 기념탑, 링컨 기념관, 동물원까지 명소란 명소는 모두 들렀고, 의회의사당까지 구경했다. 의사당은 매우 인상 깊었다. 그 규모에 놀랐다. 할아버지가 유명한 줄은 알고 있었지만, 워싱턴DC에 다녀오고 나서야 비로소 할아버지의 명성이 얼마나 드높은지 몸으로 느낄 수 있었다. 그날 이후 진심으로 할아버지처럼 되고 싶다는 생각을 하게 됐다. 주요 인사들과 알고 지내고 싶어졌다. 성공하고 싶어졌다. 열두 살에 성공에 눈을 뜬 것이다.

마지막 밤은 할아버지의 RV에서 잤는데 정말 재미있었다. 할아버지가 팝콘을 만들어줬다. 팝콘을 먹으며 VCR로 할아버지가 제일 좋아하는 영화 중 하나인 〈몬티 파이튼의 성배〉를 감상했다. 아침 8시에 눈을 떴을 때 이미 집에 거의 다 도착해 있었다. 할아버지는 일찍 깼지만, 날 그냥 자도록 놔둔 것이다. 저택의 진입로에 들어설 때까지도 어안이 벙벙했다. 할아버지가 완전히 내 넋을 빼놓았다. 할아버지를 경외하게 됐다.

22

이름 기억하기

"부자든 빈자든, 누구나 자주 만나지 않는 사람의 이름은 잘 외우지 못한다. 이름이 기억나지 않으면 얼마나 당황스러우냐. 게다가 상대는 네 이름을 기억한다면 말 다한 게지. 이름을 부르는 건 그 사람을 얼마나 중요하게 여기는지 보여주는 표식이 된다. 누구나 자기 자신을 세상에서 가장 중요하게 생각하기 때문에 이름을 몰라주면 기분 상해한다. 이름을 모르는 건 그 사람에 대해 별로 신경 쓰지 않는다는 의미이고, 자신에게 마음 쓰지 않는 사람에게 관심을 주는 사람은 없다. 굳건하고 가치 있는 관계를 맺고 싶다면 반드시 사람들의 이름을 기억해라.

성공한 사람들은 이런 인간적 약점을 보완하기 위해 요령을 써서 이름을 외운다. 한 가지 매우 효과적인 방법은 그루핑 전략이다. 그루핑 전략은 사람들을 특정 그룹으로 분류하는 걸 가리킨다. 예를 들어 취미로 테니스를 친다면 여러 테니스 팀이나 클럽에서 다양한 사람들을 만나게 될 것이다. 이들과 정기적으로 만나지 않는 이상 이름을 잊어버리게 될 확률이 매우 높다. 이들을 테니스 그룹으로 분류해라. 사람들을 그룹별로 분류한 메모장을 가지고 다녀라. 테니스 그룹과 만나기 직전에 메모장을 꺼내서 테니스 그룹의 목록을 훑어보기만 하면 된다. 단계별로 알려주마.

• **1단계**

새로운 사람을 만나 소개를 받으면 즉시 이름을 적어라. 내 경우 오로지 이를 위해 작은 메모장과 펜을 들고 다닌다. 네 아빠가 고등학교에 다닐 적에 그 애가 배구 경기 하는 걸 보러 다니곤 했다. 네 아빠와 같은 팀에서 함께 뛰는 다른 아이들의 부모와 마주치곤 했지. 마주치면 서로 이름을 밝히며 소개를 했다. 그러면 나는 다음에 기억할 수 있도록 이들이 보지 않을 때 작은 메모장을 꺼내 '배구'란 항목 아래 이들의 이름과 외모를 간략하게 적어뒀다. 다음에 마주칠 때면 곧장 그들에게 다가가 이름을 부르며 인사했고. 대부분은 내 이름을 기억하지 못해 당황스러워 했다. 흥미로운 점은 배구 시즌이 무르익으면서 이름을 기억하지 못해 당황스러워 하던 부모들이 마침내 내 이름만큼은 꼭 기억하더구나. 아마도 나는 그들이 이름을 확실히 아는 몇 안 되는 부모 중 한 명이었을 게다.

- **2단계**

아는 사람의 얼굴과 연관을 짓거나 눈에 띄는 특징을 메모해둬라. '존 매켈로 닮음'이란 식으로.

- **3단계**

그룹 카테고리를 만든 뒤 모든 지인을 각 카테고리 하에 분류하라. 최대한 단순하게 하고 너무 많은 그룹을 만들지 마라.

- **4단계**

해당 그룹과 만나기 직전에 목록을 살펴봐라.

이와 같은 그루핑 전략은 효과가 좋다. 사람들은 내 기억력에 놀라며 찬사를 보낸다. 그럼 난 내가 좋아하는 사람들의 이름 정도는 기억한다고 응수하지. 그렇게 사람들의 자존심을 세워 주는 거란다. 그럼 그 사람들은 이후로 결코 내 이름을 잊어버리지 않는다."

23
·
1시간 규칙

비가 내렸다. 어쩔 수 없이 차고 위의 체육관으로 갔
다. 나는 런닝머신을 차지했고, 할아버지는 스테어마스
터에 올라타 수업을 시작했다.

"오늘 수업은 또 하나의 짧지만 중요한 수업이 될 게
다. 1시간 규칙에 대해 알려주마."

할아버지는 스테어마스터의 설정을 변경한 뒤 운동에
돌입하자마자 1시간 규칙에 대해 설명하기 시작했다.

"성공한 사람들에게는 TV를 보는 습관이 없다. TV
를 보더라도 하루에 1시간 이상을 넘기지 않는다. 아니
면 교육적이거나, 역사적이거나, 유익한 프로그램을 시

청한다. 성공한 사람들은 재미 삼아 TV를 보는 게 시간 낭비란 걸 잘 알고 있다. TV를 볼 시간에 차라리 자기 계발을 하거나, 비영리 단체 활동을 하거나, 학교에 가거나, 누군가를 가르치거나, 글을 쓰거나, 연설을 하거나, 책을 읽지. 기본적으로, 우리가 이제껏 얘기했던 부자 습관에 해당하는 활동을 한다. 시간을 때우려고 TV를 보는 건 인생의 발목을 잡고, 가난을 불러오는 빈곤 습관이다. 빈곤 습관은 전염병이라 생각하고 피해라. 시간을 낭비시키는 활동을 제한해라. 1시간 규칙을 통해서 그렇게 할 수 있다. 1시간 규칙은 부모가 자녀에게 반드시 길러줘야 하는 습관이다. 하루에 1시간 이상 TV를 보거나 시간을 낭비하는 활동을 해선 안 된다는 점을 부모가 자녀에게 말과 행동으로 가르쳐야 한다. 그런 곳에 시간을 낭비하면 정작 생산적인 활동, 즉, 책을 읽거나 공부할 시간이 없어진다. 자녀는 부모를 보고 자란다. 부모가 하루 종일 TV 앞에만 앉아 있다면, 자녀 역시 똑같이 행동할 것이다. 부모가 본보기가 되어야 한다. 자녀가 하루에 한 시간 이상 TV를 보거나 시간을 낭비하지 않도록 예의주시 해야 한다. 한편으로는 부모 자신들도 하루에 한 시간 이상 TV를 보거나 시간을 낭비해서는 안 된다. 이를 가족 모두가 지켜야 하는 집안의 규칙으로 삼아야 한다.

1시간 규칙을 배운 아이들은 그렇지 않은 아이들보다 학교 성적이 더 좋고, 어른이 되었을 때 소득이 더 높고, 임금인상 폭이 더 크고, 보너스도 더 많은 직장을 얻게 된다. 결과적으로 살면서 더 큰 부를 쌓게 된다. 1시간 규칙을 가르치지 않으면 중요한 성공의 규칙 하나를 빼놓고 가르치는 셈이 된다. 1시간 규칙을 따르면, 아이는 독서, 운동, 동아리 활동에 더 많은 시간을 쏟을 수 있고, 친구를 만드는 데 더 많은 시간을 할애할 수 있다.

자녀가 최소 하루 30분 이상 교육 혹은 자기계발 관련 서적을 읽도록 해야 한다. 아이 스스로 매일 자기계발 서적을 읽는 습관을 깨우치기란 거의 불가능하다. 그러므로 부모가 아이에게 매일 자기계발 관련 글을 읽는 습관을 들여 줘야 한다.

다른 한편으로는 하루에 20분에서 30분 정도 달리기, 조깅, 자전거 타기 등의 유산소 운동을 하는 습관을 길러 줘야 한다. 부자는 건강하다. 평생 건강하게 살면 아픈 날이 줄어들고, 활력이 생기고, 생산성이 높아지고, 그리고...?"

할아버지는 의도적으로 말꼬리를 늘렸다. 내가 말을 받기를 바라는 것 같았다.

"성공과 행복이 보장된다는 말씀이시죠?"

할아버지는 흥분한 나머지 운동 기구에서 떨어질 뻔했다. 할아버지 모습이 마치 크리스마스 선물 포장을 뜯는 어린 아이 같아 웃음이 나왔다. 할아버지는 박수까지 치며 기뻐했다.

"네 말이 옳다. 더 큰 행복과 성공이 보장되지. 이제 슬슬 감이 잡히는 모양이구나. 건강에 대해서는 내일 더 이야기하자꾸나."

나는 브렌던을 보며 첨언했다.

"지금은 인터넷, 휴대폰, 각종 전자기기가 TV보다 더 시간을 잡아먹는단다. 그러니 1시간 규칙을 여기에도 똑같이 적용해야겠지? 휴대폰과 인터넷에 시간을 쏟는 건 TV를 보며 시간을 낭비하는 것만큼이나 나쁘단다."

24

부자는 건강하다

"성공한 사람들은 적절히 먹고 매일 운동한다. 음식
도 가려먹지만, 먹는 양에도 유의한다. 음식 섭취를 관
리한다. 대개 성공한 사람들은 폭식을 하거나 과음을
하지 않는다. 어쩌다 음식이나 술을 과잉 섭취한다 해
도 늘 그런 것이 아니라 명절이나 파티 같은 예외적인
경우에 가끔씩 허용하는 정도이다. 음식을 적절히 먹
으면 체중도 감량된다. 체중 감량의 70%는 음식 섭취
에 좌우된다. 적절히 먹으면 콜레스테롤 수치가 낮아지
므로 심장질환을 예방하는 데도 도움이 된다. 좋은 콜
레스테롤을 HDL이라 하고 나쁜 콜레스테롤을 LDL이

라 한다. 총 콜레스테롤의 양은 HDL의 세 배 정도여야 한다. 보통 총 콜레스테롤 수치는 180 이하로 유지해야 하고.

적절한 음주, 아티초크, 아보카도, 구운 감자, 콩, 베리류, 밀기울 빵, 닭고기, 다크 초콜릿, 계란, 고섬유질 음식, 과일, 채소, 마늘, 녹차, 나이아신, 견과류(특히 호두), 오트밀, 올리브유, 오메가3 건강보조식품, 양파, 오렌지 주스, 직접 만든 팝콘, 건포도, 연어, 광어, 고등어, 숭어, 참치, 콩으로 된 식품, 토마토, 칠면조, 통곡물 파스타에는 좋은 콜레스테롤이 많다.

베이컨, 볼로냐 소시지, 버터, 케이크, 치즈, 조개, 코코넛, 쿠키, 크래커, 도넛, 계란 노른자, 감자튀김, 튀김류, 햄, 햄버거, 핫도그, 아이스크림, 양고기 찹스테이크, 매시드 포테이토, 마요네즈, 우유, 영화관에서 파는 팝콘, 어니언링, 굴, 페이스트리, 파이, 피자, 돼지고기, 포트 로스트, 감자칩, 붉은 고기류, 소시지, 관자, 로브스터, 게, 새우, 사워크림, 스테이크, 설탕, 흰 빵, 요거트에는 나쁜 콜레스테롤이 많다.

성공한 사람들은 이를 닦듯 일상적으로 운동을 한다.

매일 운동을 하면 육체와 정신이 건강해진다. 꾸준한 유산소 운동은 면역력을 향상시키고 질병을 예방한다. 꾸준히 유산소 운동을 하면 아픈 날이 적어지므로 생산성이 향상된다. 주기적으로 운동을 하는 사람은 평소에도 활력이 넘친다.

성공한 사람들에게는 체중을 관리하는 본인만의 체계가 있다. 정교한 체계일 수도 있고 아닐 수도 있지만, 중요한 건 체중을 '관리'한다는 것이다.

실패한 사람들의 건강관리에는 일관성이 없다. 언제나 가장 효과가 빠르다는 최신 다이어트 비법만 찾아다닌다. 실패한 사람들은 어쩌다 한 번씩 건강을 관리한다. 대부분은 적게 먹거나, 다르게 먹으라는 외부의 동기부여가 있어야 한다. 식습관을 잘 통제하지 못하기 때문에 체중이 들쭉날쭉하다. 살이 쪘다가 빠졌다가 하면 몸에 무리가 간다. 고혈압, 당뇨, 심장질환 같은 질병이 생길 수도 있다.

실패한 사람들은 운동에 대해서도 음식 섭취와 같은 태도를 보인다. 일시적으로 동기를 부여하는 외부의 자극이 있어야 한다. 의욕이 떨어지면 다시 나쁜 습관으로 돌아가서 살이 찌는 패턴이 평생 반복된다.

체중 관리를 시작하면서 일단은 본인이 매일 무엇을 먹는지부터 파악해야 한다. 처음 30일 동안은 원래 먹던 대로 먹으면서 본인이 무엇을 먹는지 해당 음식의 칼로리가 얼마인지부터 알아봐라. 이 기간 동안 어떤 음식의 칼로리가 높은지 파악할 수 있을 것이고, 그러다 보면 어떤 음식을 피해야할지 알게 될 것이다.

식생활 관리와 다이어트를 착각하지 마라. 둘은 다르다. 다이어트는 장기적으로 체중을 관리하는 데 도움이 되지 않는다. 금기가 지나치게 많아 삶의 모든 재미를 앗아가기 때문이다. 식생활을 관리한다는 것은 무작정 굶는다거나 정크 푸드를 완전히 배제한다는 뜻이 아니다. 정크 푸드를 먹어도 괜찮다. 다만, 하루에 300칼로리를 넘기지 마라. 체중을 줄이거나 유지하기 위해선 하루에 먹어야 하는 칼로리가 정해져 있다. 매끼 고칼로리 음식을 먹으면 하루 칼로리를 지킬 수 없다는 점을 인지해라. 원할 때 먹고 싶은 걸 먹고, 마시고 싶은 걸 마실 수 있어야 한다. 다만, 그런 음식을 먹을 때 하루 칼로리 상한을 넘어설 수도 있다는 걸 주의해라. 매일이 아니라 어쩌다 하루는 괜찮다.

식생활 관리는 체중 관리의 측면에서 보자면 절반의 성공이다. 일주일에 나흘 이상 하루에 최소 20~30분 동안 유산소 운동을 해야 한다. 실외에서 조깅을 하는 것이 가장 효과적이다. 조깅으로 태우는 칼로리가 런닝머신, 스테어마스터, 실내 자전거를 탈 때 소진되는 칼로리보다 1/3 정도 더 많다. 아령을 들거나 윗몸 일으키기를 하거나 팔굽혀 펴기를 하는 것이 가벼운 유산소 운동을 보완하기는 하지만, 유산소 운동을 완전히 대체하지는 않는다. 이런 운동은 몸매를 가다듬는 데는 효과가 있지만 체중 감량에는 그다지 도움이 되지 않는다. 체중 감량에는 유산소 운동이 필요하므로 반드시 유산소 운동을 기본으로 해라.

운동하기 가장 좋은 시간은 아침이다. 그러나 이것은 언제 일을 하느냐에 따라 달라진다. 야간에 일하는 사람의 아침은 오후 5시다. 출근 전에 운동을 해야 일정에 치여 운동을 못하게 되는 경우가 줄어든다.

체중을 관리하는 가장 좋은 방법은 기록을 남기는 것이다. 매일 5분이면 충분하다. 기록을 해서 패턴을 파악하게 되면, 스스로의 몸을 더 잘 이해하게 되어 체중을 더 잘 조절할 수 있다. 두 달 정도 일정을 추적하다보면, 알아서 일일 칼로리 기준점을 정해서 체중을 유지하거나 감량할 수 있다. 예를 들어, 평소 운동량으로 볼 때 하루 칼로리 적정량이 2,100이라고 하자. 이 경우 하루에 2,100칼로리보다 적게 섭취하면 매일 체중이 줄어들 것이다. 만약 2,100칼로리 이상을 섭취하면 체중이 늘어날 것이다. 집에 가서 내가 만든 체중 기록 일지 양식을 한 부 주마."

25
·
미루는 버릇

"매일 하는 사소한 행동이 성공을 만든다. 두려움이
발목을 잡으면 마땅히 해야 할 일을 못하게 된다. 쓸데
없는 걱정 때문에 우물쭈물하는 게 버릇이 된다. 두려
움은 부정적인 감정이다. 부정적인 감정은 가난을 불러
오고, 부자가 되는 걸 막는다. 제 때 일을 해치우는 부자
습관을 들이면 이처럼 비싼 대가를 치르게 하는 부정적
인 감정에 종지부를 찍고, 부를 불러올 수 있다.

부자들은 스스로가 자신의 삶과 상황을 통제하고 있다
고 믿는다. 절대로 인생, 상황, 사건이 자신을 지배하게
놔두지 않는다. 늘 클라이언트, 환자, 동업자, 가족, 친구

들을 살핀다. 성공한 사람들은 목표 지향적이다. 목표를 정하고 성취한다. 항상 제 시간 내에 과제와 업무를 완료한다. 성공한 사람들은 언제나 사전에 조치를 취한다. 따라서 허겁지겁 발등에 떨어진 불을 끄거나 비상상황에 처하지 않게 된다. 성공한 사람들은 일을 미루고 싶어하는 내면의 목소리에 저항한다.

실패한 사람들에게는 꾸물대는 버릇이 있다. 미리 할 수 있는 일인데도 직전까지 일을 미룬다. 일을 미루다 보면 즉각적 관심을 요하는 문제가 생기기 마련이다. 그러다 보면 정작 중요한 걸 잊거나, 급하게 중요한 일을 처리해야만 하는 상황에 처하게 된다. 이러면 실수나 오류가 생길 위험이 있고, 심지어는 법적으로 책임을 져야 하는 상황에 이를 수도 있다. 일을 미뤄서 하다 보면 결과적으로 업무 품질이 떨어진다. 실패한 사람들의 삶은 두서가 없고, 혼란스럽고, 복잡하다. 계속해서 발등에 떨어진 불을 꺼야하기 때문에 결코 많은 걸 달성하지 못한다. 대신에 즉각적 관심을 필요로 하는 외부 상황에 끊임없이 휘둘리게 된다. 삶을 주도하거나, 일정을 관리하지 못하게 된다. 스스로가 무능하게 느껴지고, 갈 길을 잃은 느낌이 든다."

할아버지는 일을 제 때 처리하기 위해 성공한 사람들이 사용하는 네 가지 전략을 소개했다.

전략 ❶

해야 할 일 목록

"성공한 사람들은 일을 제 때 완료하기 위해 해야 할 일을 목록으로 작성한다. 목록에 들어가는 내용은 일별 목표이다. 해야 할 일에는 목표와 목표가 아닌 것이 있다.

- **목표인 해야 할 일** : 월별, 연별, 장기적 목표와 연관되어 있는 일별 과제가 여기에 해당한다. 본질적으로 매일 똑같다. 즉, 매일 해야 할 일이 동일하다. 이를테면 '텔레마케팅 전화 열 통 걸기'가 있다.

- **목표가 아닌 해야 할 일** : 목표와 관련이 없는 해야 할 일이 여기에 해당한다. 행정적인 업무, 클라이언트 업무, 의무적인 일이 여기에 해당한다. 고정적인 일도 있고, 매일 달라지는 일도 있다."

일일 다섯 가지 실천 과제

"내가 연구했던 백만장자 대부분은 더 많은 돈을 벌고, 그 돈을 더 큰 부로 쌓기 위한 삶의 과정에 도입했다. 그 중의 한 가지는 매일 다섯 가지 과제를 실천하는 전략이다. 이 전략은 목표 달성에 도움이 된다. 종이를 한 장 꺼내서 목표 달성에 도움이 될 만한 활동을 생각나는 대로 적어라. 이것을 하루 일정에 포함시켜라. 매일 최소한 다섯 가지 이상의 활동을 실천하여 주요 목표들을 공략해라. 겨우 이걸로 목표 달성을 할 수 있을까 싶겠지만 시간이 흐르면 매일 성취하는 작은 일들이 모여 최종 목표 달성에 가까워진다. 실천한 활동에는 체크 표시를 해라. 꾸준히 지속해라. 매일 다섯 가지 과제를 실천하는 것만으로도 얼마나 빨리 주요 목표를 달성할 수 있는지 깨닫게 되면 놀라게 될 것이다."

전략 ❸

'지금 당장 하자' 선언

"일을 미루고 싶다는 생각이 드는 즉시 '지금 당장 하자'고 말해서 그 생각을 몰아내라. 필요하다면 하루 백 번이라도 외쳐라. 일을 미루겠다는 생각을 단 1초도 허용하지 마라. 일단 시작하면 일에 빠져들어 미루겠다는 생각이 싹 사라질 것이다."

전략 ❹

기한 정하기

"하루 목표나 해야 할 일에 기한을 정하면 과제를 끝내기 전까지 내내 마음이 조급할 것이다. 기한 내에 일을 마무리해야 비로소 죄책감이 해소될 것이다."

26

자원봉사

할아버지는 본격적으로 수업에 들어가기 전에 먼저 자원봉사라는 게 어떻게 시작되었는지부터 설명했다.

"미국에서 자원봉사의 기원은 꽤 오래 전으로 거슬러 올라간다. 벤자민 프랭클린은 아마도 미국 역사상 가장 활발한 자원봉사자였을 것이다. 필라델피아 자원봉사 소방대, 민병대, 순회도서관, 공공 병원, 상호보험회사, 농과대학, 사회 지식인 계층을 조직했지. 동시대에 전 세계 수백만 명이 존경하는 명사가 된 것도 무리는 아닐 게다.

성공한 사람들에게는 자원봉사를 하는 습관이 있다.

한 달에 다섯 시간 이상을 자원봉사에 쓰지. 지역사회 내에서 자원봉사를 하면 이름이 알려진다. 그러면 더 많은 사람들에게 노출이 되고 인맥을 쌓을 기회도 넓어진다. 지역사회에서 유명해지고 스스로도 중요한 사람이 된 것 같은 기분을 느끼게 된다. 사회에 변화를 만들어내고 있다는 느낌만큼 뿌듯한 기분도 없을 게다. 나는 그걸 '조지 베일리 효과'라 한다. 조지 베일리는 영화 〈멋진 인생〉의 주인공 이름이다. 크리스마스 날 함께 보자꾸나.

다시 요점으로 돌아가서, 사람이라면 누구나 자신의 삶에 의미가 있다고 믿고 싶어 한다. 자원봉사는 우리의 존재에 대해 때때로 느끼는 공허감을 해소하는 데 도움이 된다. 자원봉사를 통해 조금이라도 변화를 일으킬 때, 우리의 삶이 가치가 있다는 느낌을 받게 되는 것이다.

자원봉사 활동을 하면서 새로운 사람을 만나고 새로운 관계를 형성할 수 있다. 이렇게 만난 인연이 평생의 친구가 될 수도 있고 사업적 인맥이 될 수도 있다. 새로운 관계를 형성하는 데 어려움을 겪고 있다면, 자원봉사를 시작해라.

또한 자원봉사는 역량을 보여줄 수 있는 완벽한 방법이다. 일을 잘 했을 때 사람들이 알아채기 마련이고, 이것이 곧 사업 기회나 새로운 일자리로 연결될 수 있다. 누구나 잘 알고, 호감이 가고, 믿을 수 있는 사람과 함께 사업을 하고 싶은 법이다. 그런 사람임을 보여주는데 자원봉사보다 더 좋은 방법이 어디 있겠느냐?"

오늘 수업이 이번 주의 마지막 수업이었다. 공부한 내용을 복습하고 나서 할아버지는 짝하고 박수를 한번 쳤다.

"그래, 네 친구들은 언제 도착한다고 하더냐?"

할아버지 말씀에 기대감으로 온몸이 전율했다.

"몇 시간 뒤에요. 점심 때 쯤 도착한다고 했어요."

"짐은 다 챙겼고?"

"벌써 월요일부터 다 챙겨놓았는걸요."

할아버지가 웃었다.

"잘했다. 자동차에 짐부터 실어놓고 좀 쉬자꾸나."

27

세상에서
가장 맛있는 햄버거

RV 차량 바닥 저장 공간에 가방을 실은 뒤, 할아버지와 나는 각자 방으로 가서 친구들이 도착하기 전까지 몇 시간 정도 눈을 붙이기로 했다. 이번 여행도 인생에 길이 남을 여행이 될 것이다. 차량을 타고 8시간 정도 떨어진 루이지애나 주 뉴올리언스로 떠날 예정이다. 할아버지가 아는 한, 세상에서 가장 맛있는 햄버거를 만드는 집이라고 하는 식당을 찾아가기로 한 것이다. 할아버지는 모든 대륙을 다 가봤다. 대통령, 왕, 수상, 황제와도 만찬을 했다. 할아버지가 세상에서 가장 맛있는 햄버거를 만드는 집이라고 한다면, 그 말 그대로일 것이다. 할아버지는 뉴올리언스(별칭 NOLA)를 일컬어 음악과 춤과 이국적인 음식과 즐거움으로 가득한 마법 같은 도시라 했다. 뉴올리언스라 하면 재즈를 빼놓을 수 없다. 할아버지는 다양한 문화가 한 데 섞여 독특한 하나의 문화를 이룬 뉴올리언스야 말로, 진정한 미국의 용광로라고 했다. 할아버지에게 들었던 이야기를 되새기다가 어느덧 스르륵 잠이 들었다.

예정대로 친구들을 태운 차량이 정오부터 속속 도착하기 시작했다. 할아버지는 안쪽에서 핫도그와 닭 날개를 요리했다. 할아버지와 친구 부모님들이 배낭, 수트케이스, 텐트, 아이스박스를 RV에 싣는 동안 우리는 허겁지겁 음식을 우겨넣었다.

"5분 주마. 5분 내로 이 닦고, 화장실 들렀다가, 차량으로 내려와라."

할아버지가 현관에서 소리쳤다.

우리는 앞 다투어 계단을 올라가서, 맹렬하게 화장실로 달려갔다가, 나는 듯이 내려와서 쏜살같이 RV에 올라타 자리를 잡았다. 뉴올리언스로 가서 세상에서 가장 맛있는 햄버거를 맛볼 준비가 다 된 것이다. 크리스마스 날 아침의 흥겨움도 지금에 견주지는 못할 것이다.

1시쯤 출발해서 우리의 첫 번째 야영지인 버지니아 서부 블루리지 산맥의 셰넌도어 국립공원에 도착하기까지 한시도 쉬지 않고 달렸다. RV 차량 밖에서 야영을 하고 새벽에 일어났다. 아침을 먹고 나서 할아버지가 낚시 도구와 하이킹 도구 꺼내는 걸 도왔다. 셰넌도어 국립공원에는 아팔래치아 트레일 101마일(약 163km)을 포함하여 장장 500마일(약 805km)에 달하는 등산로가 조성되어 있었다. 강으로 흘러들어가는 폭포로 나 있는 길도 있었고, 낚시하기 딱 좋은 계곡으로 통하는 길도 있었다. 우리는 물고기를 잡으러 로즈리버 강둑에 낚싯대를 드리웠다.

몇 시간 정도 낚시를 하고 나서 등산로를 따라 걷다가 근처 물놀이장으로 갔다. 공중에 매달려 있는 길고 두꺼운 밧줄을 타고 내려가면 첨벙하고 물에 들어가게 되어 있었다. 우리는 순식간에 수영복만 남긴 채 훌훌 옷을 벗어던지고 돌아가면서 곡예사처럼 공중을 날았다. 물이 차가웠지만 아무도 개의치 않았다. 지상낙원이 있다면 바로 여기일 것이다.

물놀이 후에는 차량으로 돌아왔다. 점심을 먹은 뒤 다시 세상에서 가장 맛있는 햄버거를 향해 길을 떠났다. 다음 목적지는 그레이트스모키 산맥 국립공원이었다. 그 곳은 테네시와 노스캐롤라이나 주 경계를 따라 길게 뻗어있는 산맥이다. 도착해서 야영 준비를 마친 뒤 케이즈코브로 향했다. 할아버지가 웬 건물로 들어갔다. 몇 분 후, 우리 모두는 말을 타고 가이드를 따라 케이즈코브를 돌아보게 되었다. 우리 중 누구도 전에 말을 타 본 적이 없어서 처음에는 다들 조금씩 겁을 먹었다. 하지만 치솟는 아드레날린에 두려움은 자취를 감췄다. 가이드는 공원의 생태와 지질에 관한 역사를 설명하면서 우리를 계곡으로, 오래된 제분소 건물로 이끌었다. 제분소는 곡식을 가루로 빻는 곳이다. 미국 초기 개척 시대에 제분소는 공동체에서 매우 중요한 역할을 했다. 농부들이 곡식을 가져가면 제분업자가 값을 치렀다. 제분업자는 제분한 곡식을 가지고 장으로 가서 마을 주민들에게 내다 팔거나 가축, 야채, 도구 등 생존에 필요한 다른 물품과 교환했다.

승마를 마친 뒤 야영지로 돌아가서 점심을 먹고 마침

내 최종 목적지인 뉴올리언스로 가는 여정에 돌입했다. 할아버지가 너무나 기대감을 높여 놓은 나머지, 여행 내내 우리의 머릿속에선 뉴올리언스의 명소를 돌아보고 세상에서 가장 맛있는 햄버거를 먹을 생각이 떠나지 않았다.

새벽 한 시가 되어서야 뉴올리언스 교외 지역에 도착했다. 모두들 아직도 눈이 말똥말똥했다. 할아버지는 호텔 주차장에 RV를 주차시킨 뒤 우리를 안으로 이끌었다. 우리는 호텔에서 가장 큰 스위트룸에 묵게 되었다.

"어서들 자거라. 내일 일정이 많으니 좀 자 두어야 할 게다."

피로감에 흥분이 좀 잦아들었고, 얼마 지나지 않아 내일 우리를 기다리고 있을 뉴올리언스에서의 모험을 꿈꾸며 모두 깊이 잠들었다.

날이 밝자마자 뉴올리언스 프렌치 마켓의 미시시피 강둑에 위치한 카페 '뒤 몽드'로 갔다. 할아버지는 우리에게 베니에란 걸 주문해줬다. 베니에는 설탕 가루로 뒤덮인 네모난 도넛이다. 바나나로 속을 채우거나 딸기로 속을 채운 베니에도 있었고, 아무것도 들어 있지 않은 것도 있었다. 전부 다 맛있었다.

베니에를 맛본 뒤 카페 '뒤 몽드' 뒤편의 계단으로 올라가서 미시시피 강을 오가는 증기선을 타러 갔다. 테이블에 자리를 잡고 앉자 커다란 기적 소리가 울리더니, 배가 움직이기 시작했다. 증기선에서 먹는 아침은 생전 처음 보는 음식으로 가득했다. 검보 스프, 새우 에투페, 잠발라야, 팥밥, 살면서 먹어본 디저트 중에 가장 맛있었던 바나나 포스터까지 모두 이름을 처음 들어본 음식이었다.

"너무 많이 먹지 마라. 세계에서 가장 맛있는 햄버거가 우리를 기다리고 있으니."

재즈 밴드의 연주를 들으며 음식을 조금씩만 맛 봤다. 가벼운 식사 후 윗갑판으로 갔다. 갑판에서 바라본 강의 전경은 믿을 수 없이 아름다웠다. 선원들이 모두 친절하고 다정했다. 2시간이 불과 몇 분처럼 지나갔다. 엄청난 경험이었다.

증기선에서 내려서 프렌치 쿼터로 향했다. 스페인인, 프랑스인, 크리올, 아프리카인, 아메리칸 인디언, 그리고 미 대륙 초기 정착민에서 비롯된 여섯 개 구역의 문화가 두루 섞여 오늘날 뉴올리언스만의 고유한 문화가 형성된 것이라고 했다. 이와 같은 할아버지의 설명에 한 친구가 크리올이 뭐냐고 질문했다. 그렇게 할아버지의 역사 수업이 시작되었다.

"우리 미국인들은 미국을 일컬어 다양한 문화의 용광로라 부르지만, 사실 미국은 문화의 용광로라기보다는 문화의 패치워크에 더 가깝다. 독일인 지구, 아일랜드인 지구, 이탈리아인 지구, 그리스인 지구 등 조상이 어디에 정착했느냐에 따라 구역이 나뉘지. 하지만 뉴올리언스는 다르다. 크리올이 그 증거다. 크리올은 루이지애나 식민지 정착민의 후손이다. 이들은 프랑스인, 스페인인, 아프리카인 등 주로 카리브해에 근간을 둔 이들의 혼혈이다. 크리올은 '하나'가 아니라 '모두'이다. 흑인, 백인, 프랑스인, 스페인인, 일부 아메리칸 인디언까지 들어간다. 크리올은 그 존재만으로도 미국인의 정체성을 나타낸다. 크리올이야말로 진정한 용광로이다. 누군가 미국을 일컬어 용광로라 한다면, 그 사람은 뉴올리언스를 가리키는 것이다."

2시간 정도 프렌치 쿼터를 구경한 뒤 할아버지는 짝!

하고 박수를 치더니 큰 소리로 외쳤다.

"자, 드디어 햄버거 먹으러 갈 시간이다!"

우리는 뉴올리언스 이곳저곳을 누비는 녹색 트롤리를 탔다. 녹색 트롤리는 뉴올리언스의 명물이다. 할아버지 말씀에 따르면 세계에서 지금까지 가장 오래 운행되고 있는 전차라고 한다. 우리가 탄 전차는 오래된 사이프러스 나무 아래와 나무 사이를 누볐다. 전차에서 내려서 꽤 많이 걸어가야 했지만 아무도 개의치 않았다. 날씨가 좋았다. 아름다운 사이프러스 나무 사이로 햇살이 비쳤다. 식물이 나뭇가지에 걸려 축 늘어져 있었다. 할아버지는 그것을 가리켜 스페니시 모스라 했다. 마치 나뭇가지에서 길게 머리카락이 자란 것 같았다.

드디어 도착했다. 할아버지는 바로 여기라고 했다.

우리는 '포트 오브 콜'이란 작은 식당 앞에 섰다. 식당 앞엔 안으로 들어가려고 기다리는 사람들이 길게 줄서 있었다.

"꼼짝 말고 여기 서 있어라. 금방 들어갔다 올 테니."

할아버지는 대기 줄에 서 있는 인파를 헤치고 나아갔다. 몇 분 뒤 식당 문 앞에 할아버지 얼굴이 빼꼼히 튀어

나왔다. 안으로 들어오라고 손을 흔들었다.

할아버지가 줄 서서 기다리는 모습을 본 적이 없다. 어디에 가든 모르는 사람이 없는 것 같았다. 아니나 다를까, '포트 오브 콜' 식당 주인 가족은 할아버지와 친한 친구였다. 뉴올리언스의 스타 셰프와도 절친이었다. 기다란 대기 줄을 지나 식당 안으로 안내받았다. 마치 왕족이 된 기분이었다. 우리의 도착에 맞춰 식당 안쪽에 자리가 마련되어 있었다. 모두 햄버거를 주문했다. 크기가 엄청났다. 접시 하나를 꽉 채울 정도였다. 맛도 엄청났다. 할아버지 말이 딱 맞았다. 우리 중 누구도 살면서 이토록 맛있는 햄버거를 먹어 본 적이 없었다. 만약 위가 두 개였다면 하나를 더 먹었을 것이다. 애석하게도 내 위는 햄버거 하나만으로도 벅찼다.

다시 전차 정류장으로 걸어가서 전차를 탔고, 프렌치 쿼터를 거쳐 우리 호텔로 돌아왔다.

"3시간 정도 시간이 있으니 원하는 걸 마음껏 하려무나."

스위트룸에 발을 들여놓자마자 우렁차게 말씀하셨다.

친구들과 호텔의 수영장으로 내려가서 놀았다.

다시 스위트룸으로 돌아왔을 때 할아버지는 한 시간 내에 준비하고 나가야 한다고 했다.

"친구가 저녁을 대접하겠다는구나."

할아버지는 미리 택시를 몇 대 불러뒀다. 택시를 타고 가든 디스트릭트에 있는 '커맨더스 팰리스' 레스토랑으로 갔다. 도착하자마자 주방 곁의 안쪽 자리로 안내받았다. 몇 분쯤 지났을까. 전형적인 이탈리아 사람처럼 생긴 셰프가 주방에서 나왔다. 하얀 셰프복을 차려입은 모습이 인상 깊었다. 할아버지는 벌떡 일어서서 "짜잔" 하는 효과음을 냈다. 셰프가 웃음을 터뜨리면서 할아버지에게 서둘러 다가가 악수를 하고는 할아버지를 힘차게 껴안았다.

"얘들아, 세계에서 가장 위대한 셰프 에머릴 라가세를 소개해주마."

에머릴 셰프는 테이블을 돌며 인사를 한 뒤 주방으로 들어가서 요리책 일곱 권을 들고 나왔다. 일일이 사인을 해서 우리에게 한 권씩 줬다. 마치 스테로이드라도 맞은 듯 활력이 넘치는 사람이었다.

에머릴 셰프는 우리를 위해 준비한 오늘 저녁 식사

에 대해 자세히 설명했다. 음식이 나올 무렵에는 입안에 군침이 가득했다. 맛이 훌륭했다. 모두 뉴올리언스 식이었다. 온갖 디저트가 나왔는데 내가 가장 좋아하게 된 바나나 포스터도 있었다. 음식을 다 먹고 나선 도저히 자리에서 일어날 수 없을 만큼 배가 불렀다.

다음 날 아침 일찍 저지 쇼어 저택으로 돌아왔다. 평생 기억에 남을만한 여행이었다. 이번에도 할아버지는 해냈다. 마치 이런 것쯤은 아무것도 아니라는 듯, 우리의 온갖 상상과 기대를 훌쩍 뛰어넘었다. 정말이지 할아버지다웠다.

28

부자의 사고방식

할아버지는 이번 수업도 내용이 좀 긴 편이라 평소보다 빠르게 말할 테니 집중해서 들으라고 했다.

"부자들은 긍정적인 마인드를 가지고 있다. 스스로가 유능하며, 상황을 완벽하게 통제하고 있다고 느낀다. 자신감이 있고, 활력이 넘친다. 이것이 우연은 아니다. 부자들은 부자 사고방식의 신봉자이다. 부자 사고방식은 성공과 행복을 불러온다. 부자 사고방식의 근간은 긍정적인 사고방식이다. 성공한 사람들은 긍정적인 사고방식을 유지하고 부정적인 사고방식을 피하기 위해, 다음과 같은 전략을 사용한다.

1. 매일 선언문   2. 시각화   3. 목표 설정
4. 성공 일지   5. 미래 거울 전략

성공 일지와 미래 거울 전략만 빼고 나머지는 이전에
다룬 내용이다. 성공 일지와 미래 거울 전략에 대해서
도 곧 알려주마. 오늘 부자의 사고방식에 대해 다루고
싶은 내용은 뇌가 어떻게 작동하는지에 관한 것이다.
우리 뇌는 여러 부분으로 구성되어 있다. 가장 크게는
의식과 무의식이 있다. 의식과 무의식은 우리의 행동을
지배한다. 의식은 의지가 깃든 행동을 주관한다. 이것
은 의지로 조절할 수 있다. 무의식은 습관적이고 자동
적인 행동을 주관한다. 이것은 우리 의지로 조절할 수
없다. 우리의 행동은 인지, 감정, 사고의 산물이다. 일부
는 의식적 행동이고, 일부는 무의식적 행동이다.

부자가 되는 습관과 가난해지는 습관을 얘기하면서
두 습관이 대뇌 기저핵에 저장된다고 했던 말 기억하
느냐? 대뇌 기저핵은 무의식의 일부이다. 그러니 습관
은 무의식에 해당한다고 봐야겠지. 지그문트 프로이트
는 무의식이 어떻게 우리의 인식, 감정, 행동에 영향을

끼치는지에 관한 담론을 일으킨 유명한 신경과 의사이다. 프로이트 덕분에 무의식에 대한 연구가 활발히 이뤄졌다. 행동을 수반하는 사고는 우리의 환경을 지배한다. 이는 원인과 결과로 얽혀 있다. 긍정적으로 사고하면 긍정적 사고방식이 지배하는 행동이 수반될 것이다.

부자 습관을 수반하는 부자 사고방식은 부의 원천이 된다. 만약 부정적으로 사고하면 부정적 사고방식이 지배하는 행동이 수반될 것이다. 빈곤 습관을 수반하는 빈자 사고방식은 빈곤의 원천이 된다. 일반적으로 부모나 인생의 멘토가 부자 사고방식과 빈자 사고방식을 가르친다.

만약 사고와 감정이 긍정적인 사고방식에 뿌리를 두고 있다면 무의식이 유리하게 작용한다. 무의식이 행동을 긍정적인 방향으로 이끌 것이다. 무의식은 직관이란 형태로 나타난다. 직관은 우리의 머릿속에서 무엇을 하고, 무엇을 하지 말아야 하는지 속삭여주는 작은 목소리이다. 예를 들어, 돈을 적게 벌든, 많이 벌든, 버는 돈에 감사할 줄 알면 무의식은 이런 긍정적인 사고방식에 부합하는 목소리를 낼 것이고, 결국 더 많은 돈을 벌게 해 줄 것이다. 돈에 감사하는 마음을 갖는 건 돈이 생기는 게 좋다는 말을 무의식에게 속삭이는 것이나 마찬가지다. 무의식은 이 메시지를 듣고 너의 행동을 바꿔 돈을 더 많이 벌게 해 준다. 더 많은 돈이 흘러들어오게 무언가를 하거나, 하지 않도록 동기를 부여해 준다.

만약 생각과 감정이 부정적인 사고방식에 뿌리를 두고 있다면 무의식은 불리하게 작용한다. 이 경우 직관은 결코 유리한 방향으로 작용하지 않을 것이다. 오히려 불리하게 작용할 것이다. 부정적인 사고방식에 부합하는 무언가를 하라고 속삭일 것이다. 예를 들어 늘 돈이 모자라다고 투덜댄다면 직관은 이것을 믿음으로 받아들여서 늘 돈이 모자랄 수밖에 없는 행동을 하게 한다. 계속 가난할 수밖에 없게 만든다. 가난에서 벗어날 수 없는 행동을 하게 만든다. 전 세계 대부분의 사람이 가난한 것이 우연은 아니다.

대부분은 부정적인 사고방식에 빠져 있다. 불리하게 작용하는 머릿속의 목소리에 지배당해 계속 가난해지는 것이다. 그렇다고 이것이 온전히 그들의 탓이라고만 할 순 없다. 걸음마를 뗄 때부터 부모들은 아이에게 부정적인 프로그래밍의 폭격을 퍼붓는다. 유아 시절은 '안 된다'거나 '그러지 마'라거나 '할 수 없다' 같은, 온갖 부정적인 프로그래밍으로 가득 차 있다. '돈이 없으니 그런 장난감은 안 돼.' '다칠 수도 있으니까 불장난 하지 마.' '그 집은 부잣집이지만 우리는 아니니까 디즈니에는 갈 수 없어.' '횡단보도 건너기 전에는 양쪽 다 살펴보고 건너렴. 아니면 차에 치일 수도 있어.' '편식하지 마라. 아프리카 사람들은 지금 이 순간에도 굶어죽고 있다.'

이 모든 부정적인 프로그래밍은 염려, 의심, 불안, 시기, 질투로 점철되어 있다. 이런 말을 듣고 자라면 두려움이 많고 감사할 줄 모르게 된다. 부정적인 프로그래밍은 무의식에 깊숙이 각인되어 삶의 전반을 지배한다. 대부분의 사람들은 두려움이 가득한 어른으로 자라서, 위험과 변화를 회피하고, 타인이 가진 것을 부러워한다. 그리고 이 대부분의 사람들이 가난하다. 부정적인 사고방식, 두려움, 고마워할 줄 모르는 마음은 마치 컴퓨터 프로그램처럼 사람들의 무의식에 저장된다. 그러면 무의식은 머릿속에서 늘 생각하는 부정적인 것들을 실현하기 위한 방법을 찾는다. 무의식은 우리가 생각하고 믿는 것을 이뤄주기 위해 우리 귓가에 속삭이고, 조언하고, 안내한다. 부정적이고 고마워할 줄 모르면, 머릿속의 목소리, 즉, 직관은 계속 가난해지고, 걱정스럽고, 타인을 질시할 수밖에 없는 일을 하게 한다. 직관이 불행과 실패를 불러오는 것이다. 직관이 삶을 망친다면 머릿속에서 들려오는 직관의 목소리를 무시해야 한다.

　머릿속의 목소리가 제대로 작동해서 행복과 성공을 불러오게 하려면 긍정적이고, 낙관적이고, 감사할 줄 아는 사고방식을 지녀야 한다. 매일 감사할만한 일을 찾아내라. 감사할만한 일에 집중해서 고마움을 느끼도록 노력하라. 감정을 느껴야 머릿속에 오래 남는다. 느끼지 못하면 무의식은 프로그래밍은커녕 컴퓨터 코드조차 찾지 못한다. 일단 감사란 감정을 느끼고 나면 뇌 속에 선로를 까는 것이나 다름없다. 늘 감사하며, 낙관적이고, 긍정적인 마음으로 살 때 비로소 무의식은 더욱 감사하며, 낙관적이고, 긍정적인 마음으로 살 수 있도록 방법을 찾아낸다. 그때야 비로소 귓가에 행복과 성공으로 이끌어줄 뭔가를 속삭여 준다. 이런 목소리야말로 귀 기울여 들어야 한다. 내일부터는 감정에 대해 더 자세히 이야기해보자꾸나. 중요한 주제라서 며칠 정도 걸릴 게다."

29
·
부자의 감정

"부자의 감정이라 하면 긍정적인 감정을 가리킨다. 부자들은 부자 감정이 부와 성공을 불러온다는 걸 잘 알고 있다. 부자 감정으로 인해 좋은 일이 일어난다. 빈자 감정으로 인해서는 나쁜 일이 벌어진다. 빈자의 감정에 대해서는 내일 알려주마.

성공으로 가는 길은 부정적인 사고를 긍정적인 사고로 전환하는 데서 시작된다. 부정적인 사고를 긍정적인 사고로 전환하기 위해서는 감정을 컨트롤해야 한다. 감정은 무의식에 자리한다. 생각에 감정이 동반될 때에만 의식 차원의 사고가 무의식으로 넘어간다. 감정은 무의식과 의식 사이에 가로놓인 문을 여는 열쇠이다. 의식적인 사고를 무의식으로 수용하는 것이 왜 중요할까? 무의식은 감정이 담긴 생각을 현실로 바꿀 수 있기 때문이다. 부자가 되고 싶다면 생각에 감정을 불어넣어, 이를 무의식에 입력함으로써, 무의식이 부와 성공을 불러오게 해야 한다. 무의식적인 생각, 즉, 직관이 의식을 지배하여 행동을 바꾸기 때문이다. 감정을 담은 생각이 긍정적인 사고라면 무의식은 은연 중에 성공을 불러오는 방향으로 작용한다. 성공을 야기하는 사고는 부자 감정에 닻을 내린 긍정적인 사고뿐이다. 부정적인 사고에 감정을 불어넣으면 무의식은 장막 뒤에서 실패를 불러온다."

할아버지는 다음과 같이 10가지 부자 감정을 나열했다.

---

1. 사랑 2. 감사 3. 행복 4. 믿음 5. 용기
6. 자신감 7. 열정 8. 용서 9. 즐거움 10. 평화

"사랑은 가장 강력한 감정이다. 사랑은 사랑이 아니라면 결코 하지 않았을 일까지 하게 만든다. 사랑하는 사람을 보호하고 도와주기 위해 우리는 무엇이든 한다.

사랑은 우리의 행동을 바꾼다. 이전에 말했던 일일 다섯 가지 실천 과제 전략을 사용해서 매일 네가 사랑하는 사람 다섯 명을 꼽아 혼잣말로 '사랑한다'고 되뇌어 봐라. 뼛속까지 사랑하는 마음이 스며드는 걸 느낄 수 있을 게다. 한 사람씩 생각하며 그 사람과 함께 했던 일 중에 너무나 즐겁고 행복했던 기억을 떠올려라. 사랑이란 감정이 샘솟을 것이다.

감사는 또 하나의 강력한 부자 감정이란다. 매일 감사하는 습관을 들이면, 무의식은 우리가 감사할만한 일을 더 많이 원한다는 뜻으로 받아들인다. 감사란 감정은 마치 유도 미사일처럼 무의식에 방향을 지시한다. 그리하여 무의식이 더 많은 돈, 더 많은 것, 더 나은 인간관계, 더 많은 클라이언트, 더 큰 매출, 더 나은 건강과 같은 감사할만한 일을 끌어들이게 한다. 여기에도 일일 다섯 가지 실천 과제 전략을 사용하여 목록으로 작성해라. 감사의 감정을 불러오기 위해 네가 받은 것 중 너를 행복하게 만들었던 것을 떠올려라.

인간이라면 누구나 오직 한 가지, 즉 행복을 좇는다. 우리는 모두 행복해지기 위해 최선을 다한다. 예외란 없다. 행복해지고자 하는 욕구는 태초부터 무의식에 강력히 각인돼 있다. 왜인 줄 아느냐? 행복한 사람이 더 건강하기 때문이다. 행복한 사람의 면역 체계가 더 튼튼해서 암, 질병, 감염을 훨씬 잘 이겨낸다. 행복한 사람이 더 좋은 인간관계를 유지한다. 틈만 나면 함께 있고 싶은, 아끼고 사랑하는 가족과 친구를 지니고 있다. 행복한 사람이 돈도 더 많이 번다. 행복은 우리를 움직이게 하는 동력이기 때문이다. 일에 있어 행복은 더 나은 품질, 더 창의적인 문제해결, 더 튼튼한 인간관계란 형태로 나타난다. 행복해지고자 하는 욕구는 사람들로 하여금 위대한 일을 하게 만든다. 마더 테레사가 전 세계의 빈곤한 이들을 돕기 위해 했던 노력을 보려무나.

믿음은 두려움과 의심이란 두 가지 빈자 감정의 해결책이다. 자신에 대한 믿음과 인생의 소명에 대한 믿음은 두려움을 제거하고 온갖 장애를 극복하게 만든다. 믿음은 잔디 깎는 기계와 같다. 꿈을 좇는 길에 끼어드는 온갖 부정적인 감정의 싹을 잘라내 준다. 반가운 소식은 믿음을 습관으로 만들 수 있다는 사실이다. 명상, 시각화, 선언, 미래 거울 전략을 통해 두려움을 극복할 수 있는 마음 상태를 조성할 수 있다.

무의식의 작용에 대해 절대 의심을 품거나 의문을 가지지 마라. 무의식의 신비에 대해서는 아직도 거의 밝혀진 바가 없다. 언젠가는 무의식에 대해서 더욱 자세히 알게 될 것이고, 그 때가 되면 무의식이란 것이 이토록 신비롭지는 않을 것이다. 그러나 아직까지 우리가 아는 바는 생각에 감정을 불어넣으면 무의식이 이것을 수용하여, 마치 컴퓨터 프로그램처럼 감정을 담은 생각이 하란 대로 작동한다는 것이다. 네가 질투에 차 있다면 무의식은 더욱 질투할만한 일을 야기한다. 네 마음이 감사로 벅차올랐다면 무의식은 더욱 감사할만한 일을 불러온다. 공식은 매우 간단하다.

감사 = 없는 것도 만들어낸다.
질투 = 있는 것도 앗아간다.

내가 만들어 낸 일일 마인드 루틴이란 것이 있는데, 이를 통해 늘 긍정적인 사고방식을 유지할 수 있다. 이건 다음에 알려주마."

30

빈자의 감정

"빈자의 감정은 부정적인 감정을 가리킨다. 빈자의 감정이 나타났을 때 단 몇 초라도 이를 허락한다면 무의식은 이것을 지령을 받아들인다. 무의식은 우리가 부정적인 뭔가를 원한다고 생각한다. 그리하여 마치 유도 미사일처럼 부정적인 일을 몰고 오며, 빈곤 감정을 영속화한다."

할아버지는 다음과 같이 빈자의 감정을 나열했다.

---

1. 증오 2. 시기 3. 슬픔 4. 절망 5. 두려움
6. 의심 7. 냉담함 8. 복수 9. 분노

"증오는 부정적인 감정이다. 사랑과 정반대이다. 결코 무의식에 증오가 뿌리내리도록 해서는 안 된다. 증오는 성공에 있어 암세포나 마찬가지다. 증오는 파괴적인 사건이나 환경을 불러온다. 행복이란 것이 누구나 우리 자신과 우리 아이들에게 바라는 것인 반면, 증오는 그와는 반대되는 불행을 불러온다. 즉, 과음, 약물 사용, 스트레스, 인간관계 파탄, 사업 부실, 금전적 곤란 등을 야기한다. 부유하고 행복해지기를 원한다면 증오는 금물이다. 미움을 사랑으로 승화시켜라.

금전적 측면에서 시기는 그 어떤 부정적인 감정보다도 나쁘다. 질투에 차 있을 때 우리는 끊임없이 무의식에 무언가가 부족하다는 메시지를 보내게 된다. 무의식은 뭔가가 부족하다는 부정적 감정이 담긴 사고만을 받아들인다. 결핍이라는 부정적인 감정이 주입된 사고를 명령으로 해석한다. 시기와 질투를 허용하는 순간, 우리는 무의식에게 더 질투할만한 뭔가를 찾아서 가져다 달라는 명령을 내리는 셈이다. 만유인력이 작용하여 더 적은 소득, 더 적은 소유물, 더 많은 지출, 더 많은 빚 등을 끌어들이게 된다. 무의식은 프로그램화 된 일만을 하게 되어 있다.

누구나 두려움을 느낄 때가 있다. 결혼이나 승진 같은 긍정적인 변화라도, 변화란 것은 두려움을 불러일으키게 마련이다. 부자들은 두려움을 극복할 수 있는 마음 상태를 지니고 있는 반면, 가난한 사람들은 두려움에 굴복하고 두려움이 삶의 발목을 잡게 만든다.

가장 주요한 두려움으로는 다음 여덟 가지를 꼽을 수 있겠다.

- 실패에 대한 두려움
- 성공에 대한 두려움
- 거절에 대한 두려움
- 충분히 잘하지 못할 것에 대한 두려움
- 무언가가 부족할 것에 대한 두려움
- 혼자가 되는 것에 대한 두려움
- 상황이 걷잡을 수 없이 돌아갈 것에 대한 두려움
- 남들과 다르거나 눈에 띄는 것에 대한 두려움

슬픔은 행복과 상반된다. 슬픔은 면역 체계와 전반적인 건강 상태를 약화시킨다. 슬픔은 관계를 파괴한다.

사람들은 우울한 사람을 피하게 되어 있다. 우울한 사람은 돈도 더 적게 번다. 이들을 움직이게 할만한 동력이 없기 때문이다. 생산성도 좋지 않고 성과도 좋지 않다. 인간의 기본적인 특질인 창조의 능력을 잃게 된다. 의존적이고 늘 망설이기 때문에, 살면서 거의 아무것도 성취하지 못한다.

슬픔에 대해 한 가지 마지막으로 말해 줄 것이 있다."

할아버지는 뒷짐을 지고 보드워크 저 편으로 고개를 틀었다.

"과거를 돌아보면 슬픔이 밀려온다. 과거를 회상하는 습관을 들이지 말고, 미래를 기대하는 습관을 들여라. 목표가 중요한 이유는 여기에도 있다. 목표는 슬픔을 막아주는 역할을 한다.

의심은 믿음, 신념, 자신감과 상반된다. 의심은 가장 흔한 부정적인 감정 중 하나다. 의심이 목표 달성에 제동을 걸지. 의심 때문에 우유부단해진다. 의심은 인생의 발목을 잡는 빈자 사고방식에 속하기도 하고, 그토록 많은 사람들이 하루 벌어 하루 먹고 살게 하는 이유이기도 하다. 의심 때문에 사람들은 대범하게 위험을 감수하지 못한다. 의심으로 가득 차 있다면 빈자 사고 방식에 사로잡히게 된다.

복수란 감정을 허용하면, 무의식은 이를 명령으로 받아들여, 계속 복수심에 불타오르게 하는 나쁜 일을 끌어들인다. 무언가를 훔쳐가거나, 위해를 가하는 사람만 늘어나게 된다.

분노를 조절하지 못하면 나쁜 결정을 내려서 참담한 결과를 불러오게 된다. 나쁜 결정과 그에 수반되는 나쁜 결과 때문에 감옥에 갇힐 수도 있고, 일자리를 잃을 수도 있고, 관계가 파탄날 수도 있고, 가족을 해칠 수도 있고, 건강과 안전을 위험에 빠뜨릴 수도 있다. 분노를 조절하기 위해서는 세 가지를 습관으로 들여야 하는데 바로 '생각하기', '평가하기', '반응하기'다."

할아버지는 각각의 단어를 강조해서 내 머릿속에 새겨 넣으려는 듯했다.

"이렇게 간단한 규칙을 따르지 못해 오늘날 많은 사람들이 감옥에 갇히는 것이란다. 생각을 하려면 감정이 아니라 이성을 사용해야 한다. 평가를 하려면 논리를 적용해야 하므로 상황을 처리할 시간을 벌 수 있지. 살면서 일어난 중대한 일에 대해 신중히 검토하고 충분히 생각한 끝에 반응을 해야 한다. 상황에 대한 반응을 늘 가장 마지막으로 미뤄라. 절대로 처음부터 반응하지 마라. 그건 죽음의 키스나 다름없다. 생각하기, 평가하기, 반응하기라는 간단한 공식은 방정식에서 감정을 몰아내고 그 자리를 논리로 대체한다. 이 과정을 통해 순서를 뒤집어서 복잡한 상황을 다룸으로써, 감정이 아니라 이성이 상황을 통제하게 할 수 있다."

31

일일 마인드 루틴

보드워크로 걸어가면서 할아버지는 종이 한 장을 건넸다.

"이게 내가 매일 수행하는 마인드 루틴이란다."

긴 목록이었다. 내용을 훑어보았다.

1. 아침에 일어나자마자 15분 명상
2. 선언문 낭독
3. 감사 목록 낭독
4. 감정을 담아 사랑하는 사람들을 떠올리며 혼잣말로 사랑한다고 속삭이기

명상

- 의자에 편안하게 앉는다.

- 눈을 감는다.

- 먼저 눈에서 힘을 뺀 뒤 머리, 목, 어깨, 가슴, 팔, 허리, 다리, 발 순서대로 몸의 긴장을 푼다.

- 머릿속으로 숫자를 떠올리면서 서른 번 깊게 호흡한다. 선로 위의 객차처럼 생각이 하나씩 순서대로 표류하게 두어라.

- 커다란 꿈이 이루어지는 모습을 시각화하라. 모든 목표가 실현되는 모습을 시각화하라.

- 이상적인 삶과 이상적인 가정과 이상적인 일과 이상적인 소득과 이상적인 건강 상태를 시각화하라. 그런 자신의 모습에서 성공과 행복을 충분히 음미하라.

- 직면한 어려움을 극복할 수 있게 해달라고 청하라.

- 눈을 뜨고 '나는 행복하다'고 말하라.

선언문

할아버지의 선언문 목록은 스무 개에 달했다. 한 가지
가 눈에 띄었다.

> • 이번 여름에 손자에게 행복한 부자가 되는 법 가르치기

감사 목록

할아버지는 살면서 감사한 모든 일을 적어뒀다. 가족
이름, 친구들 이름, 사업 동료들 이름, 모든 부자 습관
강사와 학생들 이름, 소유 주택 목록 등이 있었다. 목록
은 죽 이어져 다섯 페이지를 가득 채웠다.

1년 미래 편지

1년 미래 편지는 일 년 뒤 미래의 자기 자신이 한 해
를 돌아보며 한 해 동안 달성한 일에 대해 과거의 자신
에게 쓰는 편지이다. 할아버지의 1년 후 미래 편지에는
일 년 동안 성취한 목표, 일 년 동안 했던 강연과 강의
숫자, 최신 신간을 마감한 날짜, 손자와 함께 보낸 즐거
웠던 여름에 대해 적혀 있었다.

5년 미래 편지

1년 미래 편지와 동일하나 기간만 5년으로 늘어난 것이다. 할아버지의 5년 후 미래 편지에는 5년 동안 달성한 커다란 목표, 가족을 위해 했던 일, 스스로의 가치에 대해 적혀 있었다. 눈에 띄는 내용은 '나는 천만 달러를 더 벌 수 있었다.'였다.

비전 보드

할아버지의 비전 보드에는 아름다운 해변을 낀 바다 위 건물 사진과 그 밑에 적어 놓은 "다음 강연"이란 문구, 조깅하는 할아버지의 모습, 존 매켄로가 테니스 치는 모습을 찍은 사진 아래 "존 매켄로와 테니스 경기"라 적은 글씨, 아래에 "가족 여행"이라 적은 커다란 요트 사진 등 할아버지가 직접 글귀를 써 넣은 몇 개의 사진이 있었다.

다 읽고 나서 할아버지를 쳐다보자, 할아버지가 수업을 시작했다.

"나는 그런 식으로 매일 마인드 루틴을 반복한다. 아침 저녁으로 명상을 하려무나. 명상은 무의식에 좋은 프로그래밍이다. 아침에 막 일어났을 때와 밤에 잠에 들기 직전이 무의식이 가장 프로그래밍을 잘 수용하는 시점이다. 즉, 부자 사고방식이 무의식에 가장 잘 스며드는 때다. 선언문은 이루고자 하는 목표와 어떤 식으로든 연결이 되어 있다. 이번 여름의 주요 목표는 네가 행복하고 성공적인 삶을 살 수 있도록, 내가 아는 모든 걸 네게 가르쳐주는 것이다. 난 매일 내가 가진 것, 가족, 친구, 내가 번 돈에 대해 감사를 표한다. 커다란 것에도 감사해야 하지만 아주 사소한 것에도 늘 감사할 줄 알아야 한다. 가족과 친구와 이렇게 멋진 삶을 살 수 있게 해 준 많은 이들에게 매일 사랑을 표현해라. 감사와 사랑을 통해 늘 긍정적인 마인드를 유지할 수 있다. 가진 것에 감사하며 남을 부러워하지 않는 것은 하나의 습관이다. 타인에게 애정을 가지고 남을 미워하지 않는 것 역시 습관이다. 행복은 습관이다."

할아버지는 내가 할아버지 말씀을 완전히 이해할 때까지 몇 분 동안 기다려 주셨다.

"자, 그러면 아침을 먹고 나서 너만의 일일 마인드 루틴을 만들려무나. 앞으로 매일 실천하고."

32

성공일지

　"부자들은 실수와 실패가 아니라 오로지 성공에만 집중한다. 실수와 실패에 집중할 때는 오로지 거기서 뭔가를 배울 때뿐이다. 부자들은 성공을 의식한다. 목표, 꿈, 소명과 같이 무언가 가치 있는 걸 좇는 사람이라면, 누구나 도저히 이겨낼 수 없을 것 같은 시련에 부딪힌다. 실수를 할 때도 있고, 거절을 당할 때도 있고, 실패를 할 때도 있다. 그러나 모든 시련과 실수와 실패는 스스로를 발전시킬 수 있는 토대가 된다. 시련과 실수와 실패를 극복해내는 순간 더 높은 수준에 도달하게 된다. 역량과 지식과 몰입력이 향상된다. 즉, 네가 더 날카

롭게 제련된다.

성공일지는 네가 거둔 모든 성공을 기록하는 것이다. 네가 성공을 거뒀음을 깨달을 때마다 그것이 크건 작건 반드시 성공일지에 기록해라. 성공일지를 기록하면 늘 성공을 민감하게 의식할 수 있고, 긍정적인 마인드를 유지할 수 있다. 도저히 넘을 수 없을 것 같은 시련에 직면했을 때 성공일지를 읽어봐라. 성공일지는 의심의 불씨를 꺼뜨리는 방화벽이다. 성공일지를 통해 실패가 아니라 성공에 사고를 집중시킬 수 있다. 긍정적인 사고방식을 유지하는 것은 성공의 비결이다. 조금이라도 마음속에 의심을 품는 것은 부정적인 사고방식이다. 부정적인 사고방식은 성공을 방해한다. 마치 성공이란 불길에 찬물을 끼얹는 것이나 다름없다."

아침을 먹으면서 수업 내용을 복습하고 난 뒤 할아버지는 나만의 성공일지를 만들어 평생 성공일지를 작성하라고 했다.

난 브렌던을 바라보며 말했다.

"당시에 쓰기 시작한 성공일지가 이제는 꽤 많은 분

량이 되었단다.『부자 습관』책을 끼워둔 노트 뒤표지 속주머니 좀 다시 볼래? 거기에 있단다."

브렌던은 성공일지를 꺼내 훑어보기 시작했다. 성공일지의 분량은 50쪽이 넘는다. 브렌던은 성공일지를 다 보고 나서 다시 노트 뒤에 꽂아놓고 나를 바라보았다.

"정말로 많네요. 증조할아버지와 보냈던 여름 이후로 이 많은 성공을 거둔 건가요?"

"그렇단다. 그 성공일지 때문에라도 노트를 몸에서 떼어놓을 수 없는 거지. 언제 목록을 작성할 일이 생길지 모르잖니. 크건 작건 성공을 거두었을 때 무조건 일지에 적어야 하니 말이다. 다음 수업은 뭐라고 적혀 있니?"

"잠깐만요. 여기 있네요. 미래 거울 전략이라고 적혀 있어요."

"아, 그것도 굉장히 재미있는 내용이란다. 상상력을 마음껏 펼칠 수 있지."

당시에 배웠던 내용을 떠올리며 브렌던에게 설명을 시작했다.

33

미래거울 전략

"어제 조금 다뤘던 내용이다. 미래 거울 전략으로는
총 네 가지가 있다."

1. 10년 미래 편지	2. 5년 미래 편지
3. 1년 미래 편지	4. 사망 기사

10년 미래 편지

"10년 미래 편지는 목표와 꿈과 소명을 어떻게 이뤘
는지를 자세히 적는 편지이다. 돈을 얼마나 벌었는지,
어떤 집에 사는지, 어디에 사는지, 어떤 차를 타는지, 직업이 무엇인지, 가족들의 삶이 어떻게 더 나아졌는지, 보유하고 있는 부동산 목록, 투자 목록, 어디로 여행을 다녔는지, 얼마나 행복한지를 적어야 한다. 아침에 일어났을 때부터 밤에 잠들기 전까지 미래의 네가 사는 평범한 하루를 최대한 자세히 묘사해라. 한계는 없다. 그러니 상상력이 날뛰게 놓아둬라. 다만 사소한 것 하나도 빼놓지 말고 적어라."

5년 미래 편지와 1년 미래 편지

"5년 미래 편지와 1년 미래 편지엔 각 기한 내에 이뤄낼 성취를 모두 적어라. 5년 내 혹은 1년 내 달성할 모든 목표를 적어야 한다. 5년 동안 혹은 1년 동안 삶이 어떻게 바뀌었는지를 생생하게 그려내라. 금전적으로 어느 위치까지 도달했는지, 정신적으로는 어디까지 도달했는지, 직업적으로 얼마나 성장했는지, 가족들의 삶이 얼마나 더 나아졌는지, 얼마나 굉장한 일이 일어났는지 묘사해라."

사망 기사

"부고란의 사망 기사를 직접 작성해라. 얼마나 놀라운

삶을 살았는지 담아내라. 편지에서와 마찬가지로 그토록 대단한 성공을 거머쥐기까지 살면서 얼마나 놀라운 일들이 벌어졌는지 모두 적어라. 평생 얼마나 대단한 위업을 달성했는지도 적어야 하지만, 얼마나 많은 이들의 삶이 더 나아지도록 도왔는지도 적어야 한다. 사망 기사에 평생에 걸친 놀라운 성공의 이야기를 담아라.

미래 거울 전략은 인생 설계도이다. 앞으로의 삶에 대한 세밀한 계획이다. 미래의 자신의 모습을 선명하게 그리는 데 도움이 된다. 목표를 분명히 정의하고, 각각의 목표를 달성하는 방법을 명확히 하는 데 도움이 된다. 원하는 모든 것을 삶으로 가져오도록 무의식의 작동 스위치를 누를 수 있다. 그러면 무의식은 의식의 뒤편에서 목표와 꿈과 소명을 실현하려면 어떻게 해야 하는지 부지런히 알아낼 것이다. 미래 거울 전략은 성공을 끄는 자석처럼 작용해서 미래의 자신이 되는 데 필요한 자원과 역량과 인맥을 끌어들인다."

아침을 먹은 뒤 할아버지는 충분히 시간을 들여 미래 편지와 사망 기사를 작성하라고 했다. 오후에는 특별한 일정이 계획돼 있다고 했다.

34

두려움 정복하기

미래 편지와 사망 기사를 모두 작성한 뒤 할아버지 작업실로 건너갔다.

그리고는 종이를 팔랑대며 말했다.

"다했어요! 한 번 보실래요?"

"아니다. 오로지 너를 위한 것이니 굳이 검사받을 필요 없다."

할아버지는 웃으며 말했다.

"네가 지금 쥐고 있는 건 네 인생의 대본이다. 인생에 대한 너만의 계획이지. 그 편지와 사망 기사가 마치 로켓 추진선처럼 너를 제 궤도로 이끌어줄 게다. 슬슬 출발하자꾸나." 우리는 차로 향했다.

"할아버지, 저희 어디 가는 거예요?"

할아버지는 깜짝 놀라게 하는 걸 좋아했다. 아무리 여쭤 봐도 그 날 오후의 비밀 계획에 대해 속 시원히 털어놓지 않았다. 너른 공터에 차를 세웠다. 불안하게 고개를 끄덕이는 버블헤드 인형처럼 열기구들이 위아래로 떠다녔다.

"우리도 하늘로 올라갈 게다."

할아버지가 곧게 하늘을 가리켰다.

아드레날린이 곧바로 전신을 휘감았다.

"우리가 탈 건 저기 있구나."

할아버지는 날 들어 올려서 집채만 한 열풍선의 바구니에 태웠다. 가이드가 밧줄을 잡아당기자 열기구가 천천히 떠올랐다.

"너무나 많은 사람들이 두려움에 뒷걸음질 친다. 마땅히 삶을 포용해야 할 때에 그 삶을 두려워한다. 절대로 겁내지 마라. 두려움은 너의 발목을 잡는다. 두려움 때문에 진로에서 완전히 멈추게 된다. 미래 편지와 사망 기사는 가능하리라고 꿈꿔 본 적 없는 곳까지 너를 데려가 줄 것이다. 두려움이 고개를 쳐들고 너에게 물러나라고 말할 때 과감히 무시해라. 그 목소리는 유년기의 부정적인 프로그래밍일 뿐이다. 결코 두려움 때문에 꿈에서 물러나지 마라."

열기구가 높이 올라가면서 점차 불안해진 나머지 바구니 가장자리에서 비켜났다. 아래를 보지 않으려고 최대한 노력했다. 내가 높은 곳을 무서워한다는 걸 할아버지가 눈치채지 않았으면 했다. 지상에서 약 30미터쯤 올라왔을까? 갑자기 열기구가 상승을 멈추더니 가이드의 통제 하에 공중에 떠 있게 됐다. 별안간 할아버지 목소리가 천둥처럼 크게 울렸다.

"걸음마부터 떼는 것. 그게 바로 두려움을 극복하는 유일한 방법이다. 걸음마를 떼어라. 무언가가 두려워지면 일단 작은 것부터 하고 보아라. 네 아빠가 너에게 자전거 타는 걸 가르쳐 주던 날 기억하냐?"

할아버지는 내 불안을 알아채곤 이야기로 주의를 돌렸다. "그 때 넌 겁에 질려 있었지. 바지를 적실 정도로 말이다. 그래서 네 아빠가 어떻게 했는지 아느냐? 너를 잔디가 깔려 있는 뒷마당으로 데려갔다. 너는 한 시간

쯤 한 번에 15미터 정도를 넘어졌다 일어났다 넘어졌다
일어났다 하면서 왔다 갔다 했다. 10번쯤 제대로 왕복
했을 때 네 아빠는 너를 도로로 데려갔다. 우리는 우르
르 스테이션왜건을 타고 한 시간 정도 자전거 타는 너
를 지켜보며 따라갔단다."

할아버지는 고개를 들고 하늘을 바라봤다.

"두려움을 정복하려면 충분히 자신감이 생길 때까지
어딘가에 살짝만 의존해야 한다. 그렇게 해서 자신감이
붙으면 반드시 다음 단계로 나아가야 한다. 한 번에 한
단씩 사다리를 올라가면서 두려움을 극복하는 거지. 저
기를 보아라."

할아버지는 우리가 탄 열기구를 지나쳐 하늘로 올라
가는 다른 열기구 중 하나를 가리켰다. 바구니 가장자
리 가까이로 가며 따라오라고 고갯짓했다. 할아버지는
정통으로 아래를 내려다 보았다.

"겨우 30미터다."

할아버지는 달래듯 말했다. 난 천천히 끄트머리로 다
가가서 난간을 두 손으로 꼭 붙잡고 살짝 고개를 숙여
아래를 보았다.

"네게 고소공포증이 있다는 걸 안다."

할아버지가 털어놨다. 그제야 할아버지가 날 헬리콥터에 태웠던 일, 전망대로 데려갔던 일, 자유의 여신상에 올라갔던 일, 오늘 열기구에 태운 일이 모두 '높이'라는 두려움을 극복할 수 있도록 도와주기 위한 것임을 깨달았다.

"두려움을 극복하는 습관을 들여야 한다. 가장 큰 두려움부터 극복해 나가거라. 그러면 그 다음부터는 쉬울 게다."

나는 계속 아래로 시선을 고정했다. 몇 분쯤 흘렀을까. 난간을 쥔 손의 힘이 약해졌다. 할아버지가 가이드에게 고개를 끄덕여 신호를 주었다. 내가 거의 느끼지 못할 정도로 천천히 열기구가 다시 상승하기 시작했다. 난간을 꼭 쥐었던 손의 힘이 스르르 풀리면서 이제 그저 손을 슬쩍 올려놓는 정도가 되었다. 나는 할아버지를 바라보았다. 내 미소를 보며 할아버지는 더 이상 내가 두려워하지 않음을 느꼈을 것이다.

할아버지가 가이드에게 말했다.

"얼마나 높이 보내줄 수 있겠나?"

우린 다른 모든 열기구를 지나, 그 열기구들이 마치 작은 점처럼 보일 때까지 하늘 높이 올라갔다.

35

집으로 가는 길

"왜 이렇게 조용하니?"

어머니가 막 나를 차에 태운 참이었다. 이제 집으로 돌아간다. 결코 잊지 못할 여름방학이었다. 이번 여름이 끝났다는 게 아쉬워서 슬퍼졌다. 다음 주면 다시 학교에 가야 하는데, 여름방학을 처음으로 되돌려서 할아버지와 다시 한 번 여름을 보내고 싶다는 생각만 가득했다. 입을 열 기분이 아니었다. 할아버지의 수업 내용, 친구들과 함께 지냈던 주, 워싱턴DC로의 여행, 열기구 탔던 기억이 영화처럼 머릿속에서 반복 재생되었다.

"할아버지랑은 재미있게 보냈니?"

"최고의 여름이었어요."

대답은 했지만 기분을 숨기지는 못했다.

"정말 굉장한 분이지. 안 그러니?"

어머니는 마치 치과의사처럼 내 입 속에서 어떻게든 말을 빼내려고 하는 것 같았다.

"어제 열기구는 잘 탔고?"

어머니가 열기구에 대해 알고 있어서 깜짝 놀랐다. 그제야 할아버지가 여름방학 내내 부모님께 매일같이 내 소식을 전했으리라는 생각이 들었다. 부모님과 할아버지가 이번 여름에 오로지 나를 위해 얼마나 애썼을지 생각하니 절로 경외감이 들었다. 경외감은 곧 따스한 기분으로 바뀌었다. 사랑과 감사의 마음이었다. 여름방학을 다시 한 번 돌이켜보니, 이토록 사려 깊은 멘토 가족을 지닌 내가 얼마나 행운아이고 축복받은 아이인지 느낄 수 있었다.

"놀라웠어요. 그저 놀라울 따름이었어요. 정말이지 최고의 여름이었어요. 할아버지 댁에 보내주셔서 감사해요. 처음에 투정부려서 죄송해요."

어머니가 뺨에 쪽하고 뽀뽀해주셨다.

"우리 모두 널 너무나 사랑한단다. 널 무조건적으로 사랑하는 게 우리의 역할이기도 하지. 비록 너희가 싫어하거나 이해하지 못하는 일이라 해도, 너희에게 가장 도움이 될 만한 일이라면 부모는 응당 그 일을 해줘야만 한단다. 우리가 아니면 도대체 누가 너희에게 그렇게 해줄 수 있겠니? 네 여동생들이 자라면 똑같이 할아버지와 여름을 보내게 할 거란다."

엄마를 보며 말했다.

"동생들도 정말 좋아할 거예요."

자동차 뒷좌석으로 몸을 틀어서 배낭에 손을 넣어 노트를 꺼냈다. 할아버지께 이번 여름에 너무나 많은 것을 배웠다. 이전과는 달리 이제는 경외를 품고 할아버지를 바라보게 됐다. 얼마나 대단하신 분인가. 나는 무언가가 달라졌다는 걸 느꼈다. 앞으로의 삶은 결코 전과 같지 않을 것이다. 할아버지의 수업은 강렬한 감정과 얽혀서 내 뼛속 깊이 스며들었다. 온전한 내 일부분이 됐다. 평생 노트를 곁에 둘 것이다.

브렌던은 노트를 덮었다. 차 안에 침묵이 감돌았다.

막 사우스벤드에 들어서는 길이었다. 나는 침묵을 깨기
로 했다.

"저기 명예의 전당이 있구나."

난 왼쪽 방향에 있는 대학 미식축구 명예의 전당 건물
을 가리켰다. 침묵이 깊어졌다. 브렌던은 노트에 얽힌
이야기에 침잠해 있었다.

노트르담은 실로 엄청났다. 캠퍼스 자체가 하나의 성
지나 다름없었다. 우리는 골든 돔을 구경하고, 터치다
운 지저스 앞에서 사진을 찍고, 노트르담이 위기를 딛
고 승리를 거머쥐는 모습을 보았다. 결코 잊을 수 없는
황홀한 경험이었다. 일정을 마친 뒤 다시 차를 탔다. 뉴
저지까지 다시 먼 길을 되돌아가야 한다.

"제가 증조할아버지의 교훈을 따르면 노트르담에 입
학할 만큼 성적을 올릴 수 있을까요?"

브렌던이 물었다.

"네가 증조할아버지의 교훈을 따른다면 말이다, 프린
스턴 대학교에도 갈 수 있단다. 원한다면 못 갈 곳이 없
게 될 거란다."

브렌던은 뒷좌석으로 팔을 뻗어 노트를 꺼내더니 『부

자 습관』책을 꺼내 읽기 시작했다. 브렌던은 세 시간에
걸쳐 책을 끝까지 다 읽었다. 그러더니 무릎에 가만히
책을 내려놨다.

"아빠, 이 책 가져도 돼요?"

"당연하지. 집에 몇 권 더 있단다."

"노트도 빌려도 돼요?"

브렌던은 이미 답을 알고 있었을 것이다.

"당연하지. 아예 한 부 복사해주마. 아예 제본을 해서
네가 내용을 추가할 수 있게 해주마."

브렌던에게 미소를 되돌렸다.

"좋네요."

귀가길 브렌던은 노트를 읽고, 내가 해 주었던 이야기
를 상기하는 데 열중했다. 잠깐 잠이 들기도 했다. 브렌
던이 일어났을 때 우리는 뉴저지 78번 도로 위에 있었
다. 집까지 1시간 정도 거리였다. 내려서 간단히 요기를
하고 다시 차를 탔다.

"아빠, 저 노트르담에 갈 거예요."

브렌던이 확신에 차서 말했다.

"그래?"

"네. 노트르담에 갈 거예요."

브렌던이 고개를 돌려 창밖을 바라봤다. 그런데 어쩐지 한 번 더 노트르담에 갈 거라고 속삭이는 목소리가 들린 것 같았다.

브렌던은 고등학교를 수석 졸업했다. 고등학교 2학년 때 전미우등생연합(National Honor Society)에 들어가기도 했는데, 브렌던이 다니던 학교에서는 드문 일이었고 결코 쉬운 일이 아니었다. 브렌던은 조기입학으로 노트르담에 들어갔다. 입학허가서가 도착했을 때 우리 가족은 모두 기뻐 날뛰었다. 너무나 행복했다. 할아버지가 살아계셔서 이 모습을 봤다면 얼마나 기뻐하셨을까. 『부자 습관』 책과 할아버지의 가르침이 담긴 노트가 브렌던의 삶을 어떻게 바꾸었는지 보셨더라면 좋았을 것을. 브렌던의 인생은 완전히 새로운 길로 접어들었다. 그 유명한 J.C. 잡스가 또 다시 누군가의 인생을 바꾸어 놓은 것이다. 부모로서의 역할을 제대로 해내었음을 확신할 수 있었다. 할아버지와 할아버지가 남긴 가르침 덕에 내 아들의 성공 멘토가 될 수 있었다. 너무나 자랑스럽고 행복하다.